MA RÉPONSE À BRIGITTE BARDOT

Jacques Charrier

MA RÉPONSE À BB

BRIGITTE BARDOT

Michel LAFON
103, boulevard Murat - 75016 Paris

À mes enfants,
Nicolas, Marie, Sophie
et Rosalie.

1

Trente-sept ans de silence

Je ne fais effort ni pour qu'on m'aime
ni pour qu'on me suive.
J'écris pour que chacun fasse son compte.

Jean GIONO.

Je déjeunais en tête à tête avec ma femme chez *Chassagne*, ma « cantine » de la rue Monsieur-le-Prince, lorsque le serveur vint comparer son teint de conspirateur à la blancheur éclatante de notre nappe :

– Monsieur Charrier, ce n'est pas dans les habitudes de la maison, mais je préfère vous prévenir. Il y a au fond de la salle une personne que vous connaissez bien...

Je levai les yeux. Brigitte était là, ou plutôt elle trônait, entourée de son « brain trust ».

Nos regards se rencontrent. Sursaut de surprise réciproque, émerveillement des sourcils, large contraction des zygomatiques, et nos mains qui esquissent dans le vide le geste du laveur de carreaux. Quel heureux hasard !

Elle me fait signe de venir la rejoindre. Sur le même mode d'expression, je lui réponds que ces retrouvailles spontanées attendront bien que nous ayons fini notre assiette. Gardons notre joie pour le dessert.

Au moment du café, je m'approche de sa table avec Linda, mon épouse. Brigitte détaille sa jeunesse de ses yeux cerclés de noir. Ayant reconnu Bardot, les tables voisines se penchent pour mieux entendre un commentaire qui ne tarde pas :

– Alors, c'est vous, la nouvelle femme de mon mari !

Pour saisir tout le piquant de ce trait d'humour, il faut savoir que la rencontre se passe en 1993 : Brigitte et moi sommes divorcés depuis plus de trente ans.

Brigitte sort d'une conférence sur les animaux abandonnés ; nous nous trouvons à deux pas de mon atelier, rue de Vaugirard.

– Ah, j'aimerais beaucoup voir ce que tu peins. Si tu nous emmenais visiter ton atelier ?

Aussitôt dit, aussitôt fait. Et Brigitte de s'extasier devant mes œuvres :

– Oh, c'est for-mi-da-ble ! Et moderne !

Je l'ai assez fréquentée pour savoir qu'elle se contrefiche de la peinture – à moins qu'on y représente une biche aux grands yeux ou un rongeur arboricole. Un peintre animalier l'aurait davantage séduite. D'ailleurs, elle ne s'en cache pas :

– Tu vois, si je n'étais pas raide dingue des animaux, j'aurais voulu dessiner. Mais tu me connais, je n'aurais fait que des phoques, des chats et des chiens !

Je la laisse dire. Mais voilà que mes tableaux lui inspirent une idée de génie :

– Dis donc, Jacques, à propos : je dois changer le logo de ma fondation. Tu sais, pour mon papier à en-tête... Ce serait rigolo si tu le dessinais !

« Rigolo », peut-être, sauf que croquer une farandole de petits ânes, de petits lapins et de petits phoques n'est pas vraiment mon style pictural.

J'élude de mon mieux la commande à l'artiste.

Je l'observe à la dérobée. Comme toujours, elle semble en représentation, affiche une désinvolture inouïe. À chacune de nos rencontres épisodiques et de nos rares conversations téléphoniques, elle se montre toujours exquise. Jamais nous ne reparlons de notre histoire, nous ne l'évoquons même pas – ni en bien ni en mal. Une sorte d'accord tacite.

Et dire que j'ai aimé cette femme à la folie, au point de risquer ma vie pour elle, au point de lui sacrifier ma carrière d'acteur ! Dire surtout que nous sommes liés par le lien le plus fort que l'on puisse imaginer entre deux êtres : nous avons un enfant ensemble, mon seul fils et son fils unique. Nicolas, un homme aujourd'hui.

Mais c'est déjà le moment de partir. L'« équipe des cerveaux » prend la fuite. La bouche en cul-de-poule, Brigitte m'envoie un dernier gros baiser.

Et nous nous quittons en promettant de nous revoir bientôt.

Un mois plus tard, je reçus un mot charmant, frappé au coin gauche du nouveau logo de la fondation – une farandole de petits ânes, de petits lapins et de petits phoques (« si tous les animaux du monde se donnaient la main ») : exactement ce que j'avais prévu.

Elle m'écrivait qu'elle avait été vraiment heureuse de me revoir l'autre jour.

Je t'ai trouvé en pleine forme et superbe. J'ai toujours eu du goût.

Elle ajoutait :

En rangeant tout mon fourbi, j'ai retrouvé ces photos de toi, bien belles, qui te feront plaisir, j'espère.

Signé « *Bri* ».

Elle joignait quelques photographies du temps de notre splendeur, vieilles photos d'un passé pour moi bien révolu.

Je n'imaginais pas, alors, que le « rangement de son fourbi » coïncidait avec la rédaction de ses Mémoires.

Je n'imaginais pas que, pendant qu'elle minaudait dans mon atelier, elle affûtait en coulisse la lame assassine de son poignard.

*
* *

À la fin de l'été 1996, la presse annonce la sortie imminente d'*Initiales B.B.* On laisse entendre que les confessions inédites de Brigitte Bardot en égratignent plus d'un. Aussitôt, les coups de téléphone pleuvent. Choqués par la lecture des premières interviews de Brigitte, mes plus fidèles amis me préviennent :

– Jacques, tu ne peux laisser passer ça ! Elle te traîne dans la boue. Et ton Nicolas n'est pas épargné. Il ne s'agit plus de quelques ragots absurdes dans la presse. Brigitte raconte n'importe quoi. Réagis, et vite !

En fait, ma marge de manœuvre est relativement étroite. Le 3 septembre, j'adresse à la Madrague, avec accusé de réception, une lettre courtoise mais dépourvue de toute ambiguïté sur mes intentions :

Ma réponse à Brigitte Bardot

Chère Brigitte,

J'apprends par la presse que tu serais sur le point de publier un livre de souvenirs. Je pense être mêlé à certains d'entre eux. C'est pourquoi je t'indique que dans le cas où tu porterais atteinte à ma vie privée, sous quelque forme que ce soit, je n'hésiterais pas à m'opposer à la divulgation des passages me concernant, et ce par toutes les voies du droit. Victime, tu as été à maintes reprises dans l'obligation de défendre ta vie privée.

Tu sais que j'ai toujours mis un point d'honneur à protéger notre fils Nicolas de tous les pièges et dérives d'une médiatisation nuisible à l'épanouissement d'un enfant. Par ailleurs, je n'ai pas transgressé la règle que je m'étais fixée de ne jamais évoquer cette période de notre vie commune.

Je suis sûr que tu comprendras le sens de ma démarche.

Bien à toi.

La lettre me fut retournée illico par les bons soins du facteur. La destinataire l'avait refusée... La star Bardot estimait sans doute qu'elle n'avait pas à recevoir de lettres recommandées. À moins qu'elle n'ait choisi de faire la sourde oreille à ma mise en garde afin de mieux y passer outre. Quoi qu'il en soit, il ne me restait plus qu'à attendre la parution de ses Mémoires... en redoutant le pire.

Peu après, le livre est sorti. J'hésitais à le lire. Linda sortit me l'acheter à la librairie du coin.

Inutile de préciser que Brigitte s'était bien gardée de m'en envoyer un exemplaire...

La rage au cœur, j'ai découvert les pages consacrées à mon fils Nicolas et à moi-même. Pour la première fois depuis notre séparation en 1960, je me sentis envahi par un profond dégoût : Brigitte se commettait dans le mensonge le plus vil avec inconscience ou cruauté. Je redoutais le pire, je n'avais pas prévu l'abject.

Chacun sait d'expérience à quel point il est frustrant d'entendre un ami ou un conjoint livrer une version déformée d'événements vécus en commun. Cette « déformation » relève généralement d'une divergence de points de vue quasi inévitable, à laquelle il faut se résigner, surtout lorsque le temps joue des tours à la mémoire. Mais avec le livre de Brigitte, l'exercice prend une tout autre dimension : celle d'une vaste entreprise de dénigrement par laquelle une star maniaque de son image cherche à imposer la légende de sa vie. Il ne s'agit plus de licence littéraire, mais d'une mystification pure et simple. Et tant pis pour ceux qui se trouvent aspirés sous son rouleau compresseur !

Dire que Brigitte dresse de moi un portrait peu flatteur est un doux euphémisme. Ce portrait est d'ailleurs contradictoire, puisque j'oscille à l'en croire entre la brute machiste et le naïf invertébré. Dans son récit qui n'est pas une « variante », mais une réécriture complète de notre histoire, elle donne allègrement dans la diffamation : ne m'accuse-t-elle pas noir sur blanc de l'avoir frappée, d'avoir voulu mettre fin à sa carrière, de l'avoir forcée à enfanter ? Voilà notre aventure amoureuse, avec ses moments sublimes de passion et de sacrifices, transformée en un drame sordide, où Brigitte serait l'innocente Cosette et moi l'ignoble Thénardier ! Pire, elle n'hésite pas à s'en prendre à notre fils, traité tour à tour de « fœtus informe » ou de « bouillotte de caoutchouc » !

*
* *

La mesure était à son comble…

Moi qui vivais jusqu'alors dans une paix royale, les mots orduriers de Brigitte m'obsédaient. Je tournais en rond, cherchant en vain la raison de telles insanités. Léo Ferré me glissait à l'oreille : « Les souvenirs s'empaquettent négativement. La mémoire négative, c'est une façon de se rappeler à l'envers, c'est plus commode… Les souvenirs n'ont pas de talent. Ils végètent dans un coin du cerveau. » Ceux de Brigitte s'étaient pourtant réveillés, en toute falsification.

Plus j'avançais dans ma lecture, plus je repensais à cet aphorisme de mon ancien voisin et ami Cioran : « Par quel moyen communiquer avec les autres sinon par la prestidigitation du mensonge ? » Dans ce cas, il aurait trouvé en Brigitte une magicienne hors pair ! Quelle illusionniste ! Car elle sait à merveille donner à son mensonge l'apparence de la vérité. Liberté de ton, confidences sans voiles, entendais-je dire çà et là à propos de son livre. Comme si le déballage suffisait à garantir la véracité du propos !

Quelques-uns pourtant ne s'y sont pas laissé prendre. Dans le magazine *Lire* de décembre 1996, Pierre Assouline démontait la perversité du système en une phrase lapidaire : « Bardot croit qu'elle dit la vérité parce qu'elle dit ce qu'elle pense. » Mais combien, parmi ses lecteurs, sauraient démêler le vrai du faux, distinguer les vessies des lanternes ?

*

* *

À vrai dire, ce n'était pas la première fois que mon histoire avec Brigitte refaisait surface. Et jusqu'alors, j'en avais accepté sans trop rechigner les rappels incessants. Un article, une émission de télévision sur « B.B. », et immanquablement on parlait de moi : j'étais « son deuxième mari et le père de son unique enfant ». Pourquoi pas ? J'avais autrefois – dans une vie antérieure – épousé une femme qui était aussi une vedette de cinéma, et mon nom subsistait dans la mémoire collective comme la trace que laissent les escargots derrière eux...

Dès le début, une certaine presse, habituée aux ragots d'alcôve, avait beaucoup affabulé sur notre liaison. Il fallait remplir du papier, forcer le trait, inventer des rebondissements, flairer un parfum de scandale. Et des années plus tard, cette idylle ancienne, telle qu'elle resurgissait dans les journaux, n'avait déjà plus rien à voir avec la réalité. Le travestissement des faits était sans doute le prix à payer pour avoir épousé l'actrice la plus fantasmatique et fantasque du cinéma français. J'avais été le mari de Bardot, j'allais porter cette croix jusqu'au bout. J'avais connu le zénith de sa beauté, je subirais la hargneuse médiocrité de son déclin. Mais, pour paraphraser Rimbaud, ma vraie vie était ailleurs. De cette époque, je ne voulais garder qu'un beau garçon, né de notre aventure, et dont je suis fier.

Mes amis et mes intimes ne me parlaient jamais de cette période révolue. Ils savaient, eux, que j'avais eu une vie *avant* Bardot, et surtout une vie *après* Bardot. Et je n'avais pas à me plaindre : en regardant derrière moi, je voyais une existence bien remplie. C'est avec un orgueil démesuré que Brigitte ose affirmer dans son livre : « Les hommes qui ont partagé ma vie ont tous eu leur moment de gloire, qu'ils aient été chanteurs, acteurs, play-boys, peintres ou sculpteurs. Ils ont tous cru que cette gloire n'était due qu'à eux seuls et ont été cruellement déçus en s'apercevant qu'elle allait auréoler leur successeur, les abandonnant à leur triste réalité. » Quelle prétention grotesque ! Quand on pense qu'elle parle ici de moi, certes, mais aussi de tout son carnet de bal ! Qui Brigitte croit-elle leurrer, en prétendant que les uns et les autres avaient besoin de sa « gloire » sulfureuse pour exprimer leurs talents respectifs ? Ne serait-il pas plus juste de dire en la paraphrasant qu'elle fut cruellement déçue lorsque les « hommes de sa vie » choisirent finalement de l'abandonner à sa triste vanité ?

De mon côté, je m'étais réinventé, et je n'avais ni le souci ni l'envie de revenir sur ma chronique conjugale des années soixante. Tous ceux que j'ai rencontrés peuvent en témoigner : en trente-sept ans, jamais ils ne m'ont entendu évoquer ma séparation avec Brigitte, y compris dans les interviews que j'ai données au titre de producteur de films et, plus récemment, d'artiste peintre. Non que les mois vécus avec elle aient été à ce point douloureux que je tentais de les oublier, mais ils présentaient cette caractéristique d'appartenir au passé, à ce lot de souvenirs usagés que j'avais relégué dans le grenier de ma mémoire.

Aujourd'hui, je m'aperçois de mon erreur. À trop fermer les yeux, à trop vouloir tourner la page, à trop me taire, j'ai sans doute laissé s'installer une version fausse de notre histoire. Chaque fois que mes amours d'antan émergeaient pour alimenter les colonnes de la presse magazine, j'aurais dû m'épuiser en démentis formels et en procès. Pour mon malheur, je n'ai jamais eu l'instinct procédurier ni polémique, et les perspectives de conflit ont toujours eu le don de me faire fuir aux antipodes.

Mea culpa : n'ayant jamais usé de mon droit de réponse, j'ai contribué à cautionner un récit tronqué de cette période, qui s'est imposé peu à peu comme la « version officielle ». Avec le temps, j'ai vu se façonner une image de moi inexacte, déformée. On m'a prêté des propos que je n'ai jamais tenus, on a repris des interviews que je n'ai jamais données. Bref, on m'a inventé une vie qui n'était pas la mienne. Et moi, je préférais hausser les épaules avec indifférence, fuir les rumeurs parisiennes pour vivre serein dans mon anonymat, résolument attaché à jouir du moment présent. Loin des règlements de comptes, je ne songeais plus à rétablir la vérité.

Avec la parution du livre de Bardot, j'ai compris, mais un peu tard, que les absents ont toujours tort.

*
* *

Ces décennies de silence ont dû faire croire à Brigitte qu'elle jouissait *de facto* d'une totale impunité. Puisque j'avais toujours choisi le mutisme, elle pouvait sans risque pousser le bouchon un peu plus loin : cette fois encore, comme les autres, je ne broncherais pas.

Erreur de calcul, Brigitte. Car, là, tu as dépassé les bornes. Je crains même que tu n'aies commis l'irréparable.

Si ces mensonges n'avaient concerné que moi, peut-être me serais-je tu, comme d'habitude. J'aurais fait le dos rond, en attendant que passe l'orage. Mais comment ne pas être meurtri par le sort réservé à notre fils, victime innocente de la maman-star ? Était-il vraiment nécessaire de le blesser de la sorte, de le sacrifier à la perpétuation d'un mythe dévorant, comme autrefois on sacrifiait les jeunes Athéniens au Minotaure ? Que Bardot brûle au fil des pages tous ceux qu'elle adora jadis – si tant est qu'elle ait jamais aimé quelqu'un d'autre qu'elle-même –, c'est son droit, à moins que ce ne soit son déshonneur. Mais en ce qui concerne Nicolas, je ne pouvais accepter ses pages de haine et de mépris.

Avec l'aide d'une femme de cœur, ma sœur Évelyne, j'ai pu élever notre enfant dans les meilleures conditions. Il a grandi entouré de toute mon attention et ma tendresse. Je me suis toujours efforcé de le protéger, en lui enseignant que pour vivre heureux, il faut vivre caché, selon la vieille sagesse populaire. Avec l'idée qu'un jour il deviendrait un homme libre et content de son sort. Puis il s'est installé dans la vie avec discrétion. Et voilà qu'un livre odieux venait le rattraper dans sa vie d'adulte, pour lui assener qu'il n'avait été qu'un « fœtus informe », et que sa mère révèle au cours d'une interview qu'elle aurait « préféré accoucher d'un chien » !

Mes pensées allaient aussi à mes deux filles, Marie et Sophie, qui mènent leur existence de femmes, et surtout à Rosalie, ma petite dernière. Elle n'a aujourd'hui que deux ans, mais l'idée qu'elle puisse découvrir un jour, posé sur le rayonnage d'une bibliothèque, le brûlot signé Bardot, me fut intolérable. Je me devais de réagir. Bien décidé à défendre l'honneur d'une famille, j'attaquai donc Brigitte en justice.

Je ne demandais pas l'interdiction de la vente du livre – trop attaché au respect de la liberté d'expression – mais la suppression des descriptions nauséabondes me concernant. De son côté, Nicolas, blessé par le récit de sa venue au monde, entamait lui aussi une procédure. Le 5 mars 1997, la première chambre du tribunal de grande instance de Paris condamnait Brigitte Bardot à me verser des dommages-intérêts pour atteinte à la vie privée et au droit que chacun possède sur sa propre image.

Cette première sanction aurait pu suffire à calmer ma colère si, à la condamnation judiciaire, s'était ajoutée celle des médias et du public. Certes, il s'est trouvé de nombreux journalistes pour s'indigner à la publication des « souvenirs » de Brigitte. J'avoue que l'article de Pierre Assouline m'a fait chaud au cœur : « À l'examen, écrit-il, on s'aperçoit que l'ex-Marianne n'était pas du marbre dont on fait les statues, mais de la faïence dont on fait les bidets. Son livre suinte l'autosatisfaction dans ce qu'elle a de plus arrogant. Un festival de poncifs, de niaiseries et de mépris. »

Si ce tissu d'horreurs était resté confidentiel, j'aurais peut-être pu en rester là. Mais le retentissement donné à son opération médiatique me laissait supposer que les pages infamantes me concernant, comme les passages meurtriers sur notre fils, allaient être lus et pris pour argent comptant par des centaines de milliers de gens non seulement en France, mais aussi à l'étranger. Ne consacrait-on pas à Brigitte et à son livre une soirée spéciale sur la chaîne de télévision à la plus forte audience ? Jusqu'à Bernard Pivot qui la recevait en tête à tête, comme il avait reçu autrefois Marguerite Duras, Marguerite Yourcenar ou Albert Cohen. Et Brigitte couronnée par un prix littéraire ! Quelle extraordinaire imposture ! Je sais bien que la littérature est d'abord mensonge, mais tout de même...

Face à cette outrance, je ne pouvais plus me contenter de faire valoir mes droits devant les tribunaux. Après trente-sept ans de silence, arrivé aujourd'hui à la soixantaine, j'estime avoir mérité qu'enfin la vérité éclate au grand jour. Mais comment l'Indien discret que je suis pouvait-il sortir de sa réserve ?

C'est alors que j'ai pris cette décision, inimaginable il y a quelque temps encore : raconter « ma vie avec Brigitte » à travers un livre de souvenirs.

*
* *

Dès que je fus un peu avancé dans mon projet, je m'aperçus qu'il ne me suffisait pas de rapporter les faits et dates. Je devais certes expliquer le « comment », mais aussi trouver le « pourquoi ».

Pourquoi Brigitte ment-elle si effrontément ? Pourquoi s'acharne-t-elle à me noircir ? Pourquoi poignarder son fils, trente-sept ans plus tard, en lui jetant au visage qu'il n'a pas été désiré ? Pour me sentir entièrement apaisé, je voulais non seulement rétablir une vérité, mais démonter un mécanisme de pensée, percer à jour une personnalité.

Première évidence : en rédigeant ses Mémoires, Brigitte s'adresse en partie à ses futurs biographes. Pendant toute sa carrière, elle a privilégié à souhait l'apparence, plutôt que le fond des choses. Passé la soixantaine, une question l'obsède : « Quelle image vais-je laisser de moi ? » On en connaît d'autres qui, au soir de leur vie, ont éprouvé le besoin de faire le ménage dans leur passé. Comme François Mitterrand, Brigitte a eu sa période Vichy. Je ne parle pas ici de ses petites robes à carreaux, ni même des thèses pernicieuses qui émaillent régulièrement son discours, mais d'une tache indélébile qui compromet sa sérénité de femme comme la pérennité de son mythe : l'abandon de son fils Nicolas.

En falsifiant ses Mémoires, elle pensait trouver le moyen d'exorciser le pire sentiment de culpabilité que puisse ressentir une mère : celui de ne pas avoir su combler d'amour son enfant.

Pour preuve de sa bonne foi, il lui suffisait de reprendre à son compte la prose de la presse à scandales, contre laquelle j'avais eu le tort de ne jamais m'insurger. Ses excuses y étaient toutes trouvées. Je m'étais comporté comme le pire des salauds ! Je lui avais imposé sa grossesse ! Je l'avais empêchée d'avorter ! Je l'avais bafouée, frappée, martyrisée... Bref, la voici victime d'un immonde géniteur, qui lui a donné toutes les raisons du monde de haïr son enfant. J'étais le bouc émissaire tout désigné. Le Minotaure se nourrit ainsi au détriment d'individus qui ne demandent rien à personne, sinon qu'on les laisse en paix. Et dans le cas Bardot, jamais la mythification n'a été aussi jumelle de la mystification.

Mais si les soupçons s'envolent, les écrits restent. Je conserve par-devers moi une trentaine de lettres d'un amour enflammé que Brigitte m'adressait une certaine année 1959, tout à la joie de porter notre enfant...

Amnésie, quand tu nous tiens...

Étape par étape, énormité après énormité, parfois avec une cruauté sans nom, les mensonges d'*Initiales B.B.* ne servent finalement que cette quête effrénée : trouver, puis brandir face à la postérité les arguments – y compris les plus fallacieux – pour justifier son absence auprès de Nicolas, et son indifférence à son égard.

Mais toutes les entreprises autobiographiques ne sont-elles pas, d'abord, des tentatives du même ordre ? Je sais bien qu'un Jean-Jacques Rousseau s'en défendait absolument : « J'ai promis mes confessions, non ma justification. » Et pourtant, qu'a-t-il fait d'autre ? Car lui aussi avait un crime à faire oublier. La comparaison peut paraître outrageusement flatteuse pour Brigitte, mais Dieu qu'elle est tentante ! Dans ses *Confessions*, ce bon Jean-Jacques avoue lui aussi avoir commis l'irréparable : oui, il a abandonné ses cinq enfants à l'Assistance publique. Et passé le reste de son existence à se persuader qu'il avait agi pour le mieux. Quitte à s'inventer les meilleures excuses pour se défausser de cette lourde responsabilité morale. Il faut le voir invoquer tour à tour l'exemple de ses contemporains, le manque d'argent, les obligations de son métier, sa faible espérance de vie ou encore l'aval de Platon, qui voulait que chacun soit d'abord un enfant de la République. Rousseau va jusqu'à prétendre qu'élevés à l'hospice, ses enfants n'en deviendront que plus robustes ! À l'entendre, lui-même n'aurait pas souhaité un autre sort. Ces contorsions me rappellent Brigitte, déclarant lors d'une interview qu'en grandissant auprès d'une femme sex-symbol son fils aurait risqué de devenir homosexuel !

J.J. et B.B., même combat ! Même mauvaise foi, même construction mentale aberrante pour se défaire d'un fardeau écrasant. Tous deux, rongés par cette culpabilité aussi sourde que niée, se sont progressivement enfermés dans le délire de persécution : « Les hommes sont tous cruels, sauf moi qui suis pur et sensible... »

L'un comme l'autre ont cru qu'il leur suffisait d'avouer une erreur pour abolir une faute...

Brigitte aurait dû se rendre compte que son péché à moitié avoué ne serait pas à moitié pardonné. Les devoirs maternels ne sont pas des devoirs de vacances. Rousseau en fait la douloureuse expérience quand il reconnaît, après avoir usé toutes les bonnes-fausses excuses : « Lecteurs, vous pouvez m'en croire. Je prédis à quiconque a des entrailles et néglige de si saints devoirs qu'il versera longtemps sur sa faute des larmes amères, et n'en sera jamais consolé. »

Jusqu'à la parution de son livre, j'avais toujours pensé que dans le secret de sa misanthropique solitude, Brigitte pleurait parfois sur son enfant abandonné. Et j'essayais de lui pardonner cet abandon dont elle s'était rendue coupable au nom de son propre mythe. Un mythe à préserver, un masque à vie.

Mais voilà qu'au fil des pages le mythe s'effondrait en imprécations haineuses. Et voilà que le masque tombait, révélant une femme implacable dans son égocentrisme forcené : plutôt tuer moralement son fils que de montrer la faille de sa célébrité.

Et pour ce crime, il n'y aura jamais pour moi de pardon.

2

Un Carthaginois à Paris

Si nous partons vraiment aussi
Ce fut nous consumant
À plein sel marin
Et à coups d'éclairs.
Ma raison a vécu dehors à tous les vents,
J'ai remis à la mer mon cœur calvaire.

Pablo NERUDA.

Je suis né le 6 novembre 1936 à Metz. J'étais le quatrième enfant d'une famille qui devait en compter pas moins de six.

Ursula Andress, Nelly Kaplan, Raymond Poulidor, Claude Brasseur et Yves Saint-Laurent ne sont pas mes cinq frères et sœurs mais quelques-unes des célébrités nées la même année que moi. La compagnie aurait pu être plus mauvaise, et 1936 s'annonçait comme un millésime tout à fait honorable.

L'actualité de l'époque vient toutefois assombrir ce carnet rose. En 1936, André Breton dénonce le stalinisme. Le ministre de l'Intérieur, Roger Salengro, se suicide au gaz, victime d'une campagne de calomnies orchestrée par l'extrême droite. L'Allemagne clôt les jeux Olympiques et ouvre son premier camp de la honte. Hitler envoie en Espagne la légion Condor pour soutenir les franquistes insurgés contre la légitimité républicaine. Le jour même de ma naissance, les nationalistes sont aux portes de Madrid. Dali peint *Prémonition de la guerre civile*, Picasso publie une série de gravures sur la tauromachie.

Et pendant ce temps, avenue de La Bourdonnais, à Paris, un joli bébé de deux ans, aux initiales B.B., encore auréolé d'innocence, manque de périr électrocuté en mettant les doigts dans une prise...

Si la décharge avait été plus longue – ce qu'à Dieu ne plaise –, la face du monde n'en eût peut-être pas été changée. Le cours de mon existence, certainement.

Mon père s'appelait Joseph. Originaire de l'Allier, jeune lieutenant dans l'artillerie, il se trouvait en garnison à Metz lorsqu'il rencontra ma mère Marguerite, lorraine et fière de l'être. Artiste dans l'âme, « Guite » se passionnait pour le chant, la poésie et le piano. Cette prédisposition lui valut même un premier prix de conservatoire. Avant d'embrasser la vie militaire, elle ne posa qu'une condition : son Pleyel devait l'accompagner dans toutes les pérégrinations imposées par le service.

Mon père, lui, avec sa formation d'ingénieur, préférait l'algèbre au solfège. Diplômé de l'école des Arts et Métiers, il décida très tôt que l'artillerie lui permettrait de mettre à profit ses compétences. Il s'engagea donc dans l'armée de la République. Et pourtant, l'homme n'avait rien du va-t-en-guerre ! C'était d'abord un technicien, doublé d'un idéaliste, attaché à l'éthique, à l'honneur, au respect de la parole donnée.

Mes parents se sont aimés passionnément, avec une tendresse jamais démentie. J'ai eu cette chance assez rare de naître dans une famille profondément unie. Parents, enfants, nous vivions dans une totale harmonie, ne pensant qu'à être heureux. Joseph et Guite avaient certes des principes pour l'éducation de leur progéniture, mais la réalité – une étourdissante ribambelle de six marmots – eut vite fait d'assouplir la théorie pédagogique. Tant pis pour la sacro-sainte autorité parentale, au diable la discipline militaire ! Nous nous sommes élevés – plus que nous ne l'avons été – en toute liberté, nos parents se contentant de canaliser nos énergies et nos attentes.

Ainsi gorgés d'amour, nous n'avions qu'à nous ébattre joyeusement dans une maison qui résonnait de rires ou de chants. Plus tard, j'ai compris que ce bonheur d'enfance allait me protéger toute ma vie. La joie que j'ai connue alors s'est ancrée en moi et m'a plus tard offert une planche de salut. À mes parents, je dois cette tendance optimiste à toujours chercher le versant ensoleillé de l'existence.

En fait de soleil, je n'ai pas eu à me plaindre, puisque six mois après ma naissance, mon père se vit muté en Tunisie. Le pays était placé sous protectorat français depuis 1881, en vertu d'un accord qui porte le nom de traité du Bardo ! Un signe prémonitoire qui aurait peut-être dû m'alerter...

Nous avons vécu à Salammbô, près de l'ancienne Carthage, au milieu des lacs qui abritaient autrefois les navires de la civilisation punique.

Mon plus lointain souvenir est le bleu. Le bleu de la Méditerranée. Un turquoise profond que je n'ai jamais retrouvé par la suite. Notre vie entière semblait alors se résumer à deux éléments : la mer et l'espace. Nous courions pieds nus dans un ancien palais du bey, où mon père avait obtenu un logement de fonction : cent mètres de façade avec vue sur le golfe de Tunis.

Une vie de rêve, un éden insouciant où naquirent mes deux frères cadets.

À l'école communale, je côtoyais des enfants arabes, maltais, juifs et siciliens. On nous enseignait toute la richesse de ces lieux chargés d'histoire. Ici était venu mourir saint Louis, parti en croisade. Ici brillaient autrefois un important centre littéraire autour de l'écrivain latin Apulée et un foyer du christianisme avec Tertullien et saint Cyprien, évêque de Carthage, mais aussi Père de l'Église. Sur nos bancs, nous frémissions en apprenant que les Vandales avaient envahi le pays pour y fonder un royaume, celui de l'actuelle Tunisie.

Parfois, au hasard de nos jeux, nous trouvions une pierre gravée ou une pièce de monnaie. Nous courions alors chez le père Lapeyre, un archéologue passionné qui nous racontait l'histoire de cette ancienne colonie phénicienne, dont la prospérité et la puissance avaient attisé la convoitise des Romains. Pour nous, il faisait revivre les guerres terribles que se livrèrent les deux ennemis. Nous admirions l'audace d'un Hannibal franchissant les Alpes à dos d'éléphant ; nous nous lamentions devant la victoire des légions romaines dirigées par Scipion l'Africain, qui rasèrent Carthage après un siège de trois ans. La ville brûla dix jours et dix nuits, et l'envahisseur proclama la malédiction sur les ruines de la cité morte.

Que de jeux fabuleux inspirait une histoire si fertile ! Nous nous cachions dans les faux caoutchoutiers, ces arbres gigantesques où nous construisions nos cabanes. Là se rejouaient les guerres puniques. Et les valeureux Carthaginois prenaient toujours leur revanche sur l'affreux Scipion.

Au cœur de cette ville riche d'histoire, de luttes et de souffrances, baignée de lumière et de chaleur, nous vivions dans un véritable paradis. Sans soupçonner à quel point il était fragile.

*
* *

Un jour, à l'école, on nous apprit à chanter en chœur *Maréchal nous voilà* et *C'est nous les Africains qui revenons de loin*. Pour bien enfoncer le clou dans nos petites têtes, on accrocha aux murs des photos du maréchal Pétain. Chaque matin avant d'entrer en classe, nous devions désormais hisser les couleurs et saluer le drapeau. Si les effets de la guerre ne se faisaient pas encore sentir en Tunisie, nous percevions néanmoins un bouleversement dans nos habitudes et un malaise chez les grandes personnes.

Mon père avait alors un commandement sur la base militaire d'El Aouina. Troublé par la situation nouvelle, il montrait des signes de réticence à l'égard de cette armée rangée sous l'autorité de Vichy. Situé dans la zone non occupée, le protectorat tunisien n'en faisait pas moins partie du nouvel État français. Le soir, après le coucher, nous entendions des chuchotements dans la maison. Mon père recevait ses collègues officiers et les discussions étaient vives. Trop jeunes pour comprendre le sens de ce qui se disait, nous n'en devinions pas moins la gravité.

Un jour de novembre 1942, dans un grondement lugubre, j'aperçus des centaines d'avions qui couvraient le ciel d'un tapis menaçant. J'entendis des gens affolés qui criaient :

– Les Allemands ! Tous aux abris !

Aussitôt, la vie s'arrêta : les trains s'immobilisèrent, les rues se vidèrent, les gens se calfeutrèrent chez eux. En rentrant à la maison, je trouvai ma mère en larmes. Elle me prit dans ses bras, m'embrassa longuement ainsi que mes frères et ma sœur, puis nous annonça la terrible nouvelle :

– Les Allemands sont arrivés et votre père a dû partir.

Nous ne comprenions qu'à moitié l'inquiétude qui se lisait dans ses yeux. Notre père était parti, nous pensions qu'il allait revenir, le lendemain ou les jours suivants. Mais les journées passèrent et notre père ne rentra pas.

En qualité d'officier de l'armée française, il avait en fait refusé d'obéir au gouvernement de Vichy après que les Allemands eurent rompu les accords et envahi la zone que nous appelions « libre ». Pétain avait autorisé les Allemands à installer des bases en Syrie, au Sénégal et en Tunisie. En échange, selon le gouvernement de Vichy, les Allemands auraient accepté une certaine « libéralisation » dans la zone occupée.

Homme droit, exigeant et fidèle, fils d'un officier et d'une directrice d'école laïque, mon père revendiquait fièrement son attachement aux valeurs de la République. C'était là son unique mais intransigeante conviction politique. Comment aurait-il pu accepter d'accueillir les troupes allemandes ? Il préféra rejoindre de Lattre de Tassigny au Maroc – où les Anglais et les Américains venaient de débarquer quelques jours plus tôt –, emportant avec lui dans la nuit une partie de son matériel. Il était entré en résistance, bientôt rejoint par tous les militaires dont il avait la responsabilité. Le reverrions-nous vivant ?

La guerre faisait rage et changeait radicalement nos conditions de vie. La solde de mon père se faisait de plus en plus aléatoire. Ma mère fut obligée, pour survivre, de vendre tout ce qu'elle possédait, ses bijoux et ses meubles. Bientôt il lui fallut abandonner ses robes, ses nappes et ses rideaux au « Roba Vecchia », un fripier qui rachetait les vêtements usagés à bas prix et qui passait dans les rues en criant : *« Roba vecchia ! roba vecchia ! »*

Notre Guite adorée n'était pas au bout de ses sacrifices : la mort dans l'âme, elle dut finalement se séparer de son cher piano. Adieu sonates, impromptus et intermèdes, changés en rations de lait, portions de beurre ou quarts de riz !

Bien que tirant le diable par la queue, maman ne s'économisait pas pour préserver l'harmonie familiale. Face à l'adversité, elle continuait à nous combler d'amour. Elle n'hésitait pas non plus à porter secours aux autres femmes de militaires, abandonnées et sans ressources.

Durant les six mois d'occupation, nous avons connu disette, vexations, bombardements et rumeurs alarmantes. Nous vivions en permanence entourés d'uniformes ennemis car notre maison était coincée entre la base de la marine allemande à gauche et celle des Italiens sur la droite. La rigidité des uns ne faisait pas bon ménage avec l'esprit plus exubérant des autres... Après certains repas bien arrosés, ils s'empoignaient comme des chiffonniers, pour notre plus grand plaisir !

Chaque matin, j'allais à l'école en TGM, le Tunis-Goulette-Marsa, d'anciennes rames du métro parisien qui faisaient la navette d'un bout à l'autre du golfe. Un jour, dans ce train, un officier allemand aborda ma mère pour la complimenter sur la beauté de ses enfants.

– De magnifiques Allemands blonds aux yeux bleus ! précisa-t-il avec un fort accent.

Pleine de défi, ma mère sortit de sous son chandail une croix de Lorraine qui ne la quittait jamais et la brandit devant l'officier médusé :

– Vous faites erreur, monsieur, mes enfants sont des petits Lorrains ! De bons petits Français !

Serrés dans ses jupes, nous attendions avec terreur la réaction de l'homme en uniforme. Notre sort pouvait basculer dans l'horreur car mon père était toujours recherché par les Allemands. Mais l'homme se contenta de nous fusiller du regard. Il se leva et partit s'asseoir à l'autre bout du wagon. Notre cœur, qui s'était arrêté de battre un instant, se gonfla d'une folle admiration pour notre « Mutter courage » qui venait de mettre en déroute un officier allemand.

Les nouvelles de mon père nous parvenaient au compte-gouttes, sous forme de messages codés : « Papa n'oubliera pas l'anniversaire de Jackie. » Quel soulagement d'apprendre qu'il était en vie ! Par ailleurs nous savions que les Alliés avaient pris position au Maroc et en Algérie, et que les hommes du général de Lattre de Tassigny faisaient partie des libérateurs.

En mai 1943, la ville et le port de La Goulette furent bombardés. Parvenus à la frontière tunisienne, les Alliés cherchaient à déloger les

Allemands de ce dernier bastion. C'était le début de l'opération Vulcain, dirigée par le général Juin. Pour nous autres enfants, cette bataille était d'abord un spectacle. Nous regardions les bombes tomber et exploser au loin, sur les bateaux de la marine allemande. Mais des scènes terribles nous rappelaient toute l'horreur qui accompagnait cette guerre. Les avions britanniques bombardèrent ainsi un navire italien amarré au large, sans savoir qu'il y avait à son bord des prisonniers anglais. De mes yeux, j'ai vu sortir de la mer les rescapés en loques, hagards, couverts de sang, râlant, vomissant, détruits par leurs propres frères.

Quelques jours après cette vision d'apocalypse, nous avons compris que le cauchemar allait prendre fin. Les armées franco-britanniques foulaient déjà le sol tunisien. Bientôt, elles entrèrent dans Carthage.

De nos fenêtres, nous les regardions passer dans la rue. Soudain un militaire en tenue de combat fit irruption dans la maison, arme au poing. Nous avons tous poussé un cri de surprise. C'était mon père ! Bouleversée, ma mère se jeta dans ses bras, tandis que nous étouffions notre héros de baisers. Ce n'était pas une armée qui nous libérait, ni un soldat inconnu, mais notre père en personne, à la tête du 14ᵉ groupe autonome d'artillerie anti-aérienne. L'Histoire avec un H majuscule se confondait avec notre chronique familiale ! Notre père nous avait donné la vie deux fois, la première en nous concevant, la seconde en nous sauvant du joug allemand. Autant dire que comme héros d'enfance, sa légende était assurée.

Après la libération de la Tunisie, mon père participa au Débarquement sur les côtes de Provence en août 1944. Le général de Lattre n'avait pas failli à sa réputation en préservant au maximum la vie des quelques dizaines de milliers de soldats engagés.

Le 15 août précisément, mon père libérait Saint-Tropez... et la Madrague. Il ne se doutait pas que les bébés phoques feraient sous peu oublier les marsouins. Mais un Charrier qui pavoise à la Madrague, avec quinze ans d'avance ! Décidément, on n'échappe pas à son destin.

*

* *

Peu après, nous rentrons en métropole. Adieu Carthage, bonjour Paris. Flanquée de ses six marmots, ma mère se lance dans un voyage aussi épique qu'épuisant pour rallier la capitale. L'expédition est digne d'Hannibal. Nous commençons par embarquer à bord d'un bateau si surchargé qu'on peut se demander s'il arrivera à bon port, puis il faut nous entasser dans un train bondé qui s'arrête à chaque gare. Le tout en trimballant vingt et un colis – trois par personne – que nous recomptons régulièrement pour nous assurer qu'aucun ne s'est égaré.

Une semaine plus tard, nous arrivons enfin à Paris, gare de Lyon, le 8 mai 1945 – le jour de la signature de l'armistice ! Des centaines de milliers de Parisiens ont envahi les rues, ils chantent, dansent, s'embrassent comme des amis de toujours. Le peuple en liesse fête la victoire.

Nous réussissons à grimper dans un autocar qui tente la traversée de Paris. Partout, ce n'est qu'effervescence grouillante ; orchestres jouant pêle-mêle des valses, des boogie-woogies ou des marches militaires, drapeaux tricolores déployés sur les façades, cloches carillonnantes à toutes les églises. Je découvre des visages qui ne ressemblent pas à ceux que j'ai connus en Tunisie. J'entends le chauffeur du bus qui nous répète :

– Ouvrez bien grand vos yeux, les enfants ! Plus tard, vous vous souviendrez de cette journée !

Et nous, abrutis par six jours de voyage, calés derrière nos vitres d'autocar, nous contemplons cet étourdissant spectacle à travers des paupières mi-closes...

Ma tante Marie-Michèle, sœur mariste, nous installa dans une petite maison près d'Enghien-les-Bains. Là, choyés à souhait, nous avons retrouvé une vraie chaleur familiale. Ma tante nous plaça dans des écoles de la région, ma sœur chez les maristes à Saint-Prix, mes grands frères et moi à Notre-Dame-de-Bury.

En août 1945, le général de Lattre est nommé commandant en chef de l'armée du Rhin et du Danube. Mon père se retrouve alors en poste de l'autre côté du Rhin, loin de nous, et ma mère décide d'aller le rejoindre.

Me voilà abandonné à l'arrière, pensionnaire et prisonnier du collège de Notre-Dame-de-Bury. Je couche dans un dortoir de cinquante lits au rez-de-chaussée d'une immense et lugubre bâtisse, dépourvue de chauffage, alors que l'hiver 45 bat tous les records de froid. Moi, le petit Tunisien d'adoption, je fais l'apprentissage de la neige, de la glace, du givre... et des petits Français pure souche. Et je pleure sans consolation le ciel bleu, le sable chaud et la lumière de Carthage. La nostalgie me gagne, par bouffées de parfums et de saveurs épicées. Je suis séparé de mes parents, coupé de tout ce qui a fait mon bonheur et ma liberté.

Pendant une longue et douloureuse année, je prends conscience que le retour à la paix ne me rendra pas un paradis bien perdu – celui de l'enfance insouciante.

*
* *

L'année suivante, je rejoignis mes parents en Allemagne. Là, je découvris un peuple vaincu qui vivait dans une misère totale. Mais soudain, à partir du printemps 1948, le plan Marshall voté par le gouvernement américain donna le premier coup de manivelle à la relance économique. Du jour au lendemain, nous assistons alors à l'éclosion du miracle allemand. Le travail reprend de plus belle, les magasins se remplissent de marchandises et de clients. Le pays à l'agonie se redresse et se remet à vivre.

Quant à nous, nous passons le plus clair de notre temps à jouer avec les petits Allemands de notre âge. Entre nous, ni clivage, ni haine, ni rancœur, ni discrimination. Notre capacité d'oubli et notre innocence n'annoncent-elles pas les espoirs d'une Europe pacifique ? Les populations meurtries ne souhaitent qu'une chose : s'adonner aux joies du baby-boom et de la consommation de masse. Les relations internationales ne sont pas si différentes des relations de couple : on ne demande qu'à tourner la page.

*
* *

Lorsque, un beau matin de 1949, je vis ma mère s'affairer autour des grosses malles cabossées descendues du grenier, je compris qu'un nouveau départ se préparait. Mon père venait d'être nommé en poste à Strasbourg.

Ces déménagements successifs, inhérents à la carrière de mon père, font que je suis aujourd'hui incapable d'associer mes souvenirs d'enfance à une maison précise. Chaque départ nous arrachait brutalement à notre environnement, et surtout à mes copains de jeux. Tels des saltimbanques, à peine installés quelque part, nous devions partir à la conquête de nouveaux décors, de nouveaux visages.

En contrepartie, cette instabilité forcée m'a aidé à affronter les mutations de ma vie d'adulte. Et la capacité d'adaptation d'un individu ne contribue-t-elle pas à son bonheur ?

À Strasbourg, j'allais me découvrir plusieurs passions. La première fut le dessin. Je me mis à griffonner en toute occasion, ne me séparant jamais de mon cahier et de mes crayons. À force de pratique, je finis par acquérir un coup de patte.

Un jour, alors que j'étais au lycée, et sans en avoir informé mes parents, je décidai de m'inscrire à un concours pour entrer aux Arts décoratifs. Pourquoi ne pas tenter ma chance ? Et, surprise ! mon nom figura sur la liste des reçus. J'étais fou de joie, bien sûr, mais il me restait à annoncer la nouvelle à mes parents. Comment allaient-ils prendre la chose ? Comprendraient-ils les aspirations artistiques de leur rejeton ? Nouvelle surprise, ils ne firent aucune difficulté, m'épargnant même les sermons sur la nécessité de préparer un « vrai métier ».

Je restai deux ans aux Arts décoratifs de Strasbourg. Rapidement, je m'adonnai à une deuxième passion, la céramique. L'art le plus noble et le plus complet à mes yeux car il conjugue la sensualité du contact avec la terre, et le travail sur les formes et les couleurs. Le tout parachevé par la magie aléatoire de la cuisson. La terre contient la mémoire et la vie, elle nourrit le monde et conserve les cendres de nos ancêtres. Je me souviens d'un professeur inspiré qui nous répétait ces vers d'Omar Khayyâm :

Au bazar j'ai vu un potier
Piétinant l'argile sans répit
Et l'argile en son propre langage lui dit :
« Va doucement car je fus comme toi jadis. »

Parallèlement à mes cours d'Arts déco, je décidai de m'inscrire au conservatoire d'Art dramatique. Avec l'appétit de l'adolescence, je voulais mettre les bouchées doubles ! Poussé par la curiosité et l'envie de rencontrer des têtes nouvelles, je suivis ainsi les cours une fois par semaine. De ma vie, je n'avais encore jamais mis les pieds dans un théâtre...

En revanche, j'aimais déjà beaucoup le cinéma. Quand nous habitions près d'Enghien, ma tante nous avait emmenés voir *La Charge de la brigade légère*. Encore une histoire de militaires... Mais la vraie révélation eut lieu à Strasbourg avec le cinéma américain de l'après-guerre. Dès que j'avais trois sous en poche, je courais voir tout ce qui se projetait, pourvu que ce fût américain. Je sortais de la salle émerveillé, des rêves et des étoiles plein la tête. Dans un panthéon sans cesse revisité, je rangeais des chefs-d'œuvre comme *L'Inconnu du Nord-Express* d'Hitchcock, *Quand la ville dort* de John Huston, *Boulevard du Crépuscule* de Billy Wilder, la comédie musicale *Un Américain à Paris* de Vincente Minnelli, *Un tramway nommé désir* et *À l'est d'Eden* d'Elia Kazan, *La Prisonnière du désert* de John Ford. Je vouais aussi un culte sans borne à Chaplin, mon maître absolu.

Peu de réalisateurs français trouvaient grâce à mes yeux. Seuls Clouzot avec *Le Salaire de la peur* ou Yves Allégret, réalisateur des *Orgueilleux*, avec les merveilleux Michèle Morgan et Gérard Philipe, pouvaient me procurer des joies comparables à celles que je ressentais en admirant Katharine Hepburn dans *African Queen*, Ava Gardner dans *La Comtesse aux pieds nus* ou bien sûr Marilyn Monroe dans le désopilant *Les hommes préfèrent les blondes*.

Les blondes, je ne détestais pas, moi non plus. Vraies ou fausses, j'ignorais encore le moyen infaillible de les distinguer, mais une chose était sûre : j'avais déjà développé un penchant fatal pour le beau sexe.

Alice était blonde. Je l'ai rencontrée devant un cinéma. Manque de chance, elle était accompagnée de mon copain Louis... Louis, mon modèle, mon idole : grand, bien bâti, la crinière arrogante, le tombeur né. Il portait un duffle-coat qu'il avait lui-même teint en noir – le *nec plus ultra* de l'élégance à l'époque ! C'est tout dire...

Il pleuvait, nous avons décidé de nous réfugier dans le cinéma. Alice était assise entre nous. Pendant la séance, à la faveur de l'obscurité, Louis fit plusieurs tentatives pour l'embrasser. Mais en vain, elle détournait son visage de mon côté. Soudain je sentis sa main chaude se poser sur la mienne. Je crus d'abord à un geste involontaire de sa part. Elle devait se tromper ! Mais non, la main insistait. J'en étais tout tremblant. Pas une seconde je n'avais imaginé que cette fille puisse s'intéresser à moi, surtout à la barbe naissante de mon copain Louis. Tout à coup, je sentis ses lèvres se poser sur les miennes...

J'étais partagé entre la fierté et l'appréhension. Le séducteur bafoué projetait-il de me cueillir d'un coup de poing vengeur à la sortie du cinéma ? En fait, une fois au grand jour, Louis, beau joueur, se contenta de m'adresser un clin d'œil accompagné d'un pouce en l'air qui voulait dire : « Chapeau, vieux ! »

Sans hésiter davantage, je pris la main d'Alice pour la raccompagner jusqu'au tramway. Au moment de nous séparer, je l'embrassai à nouveau et lui proposai de la revoir le lendemain. Elle accepta. Je rentrai à la maison en sautant et en dansant comme un cabri. J'étais Burt Lancaster et Tony Curtis en un seul !

Le soir, je fis l'impasse sur la toilette pour garder plus longtemps le parfum d'Alice sur ma peau. Je m'endormis la tête pleine de rêves. Et le lendemain, je me rendis fébrile au rendez-vous...

J'ai attendu près de deux heures. Alice n'est pas venue. Mon premier flirt fut aussi mon premier lapin. Les jours suivants, j'errai dans le quartier comme une âme en peine pour essayer de la retrouver. Mon premier baiser s'était envolé...

C'était en 1953. J'avais dix-sept ans. Cette année-là, Catherine Sauvage chantait *Paris Canaille* d'un certain Léo Ferré... Moi, il ne me restait qu'à fredonner avec Mouloudji : « Un jour tu verras / On se rencontrera / Dans la rue n'importe où / Guidés par le hasard... »

1953, c'est aussi mon premier émoi musical. Un vrai choc ! Deux chansons de Georges Brassens, entendues à la radio : *La Chasse aux papillons* et *Les Amoureux des bancs publics*. Simplicité de ton, gouaille aux accents sétois, insolence nouvelle : c'est le coup de foudre. À l'époque, les adultes écoutent Luis Mariano, Tino Rossi, André Claveau et tous ces chanteurs « vieux jeu ». Je me procure d'urgence le 45 tours : *La Mauvaise Réputation*, *Hécatombe*, *Le Gorille* et *Le Petit Cheval* font un drôle de manège sur le phonographe familial à aiguille. En quelques jours, je connais les chansons de Brassens par cœur. J'aime cette truculence dans la tradition des François Villon, Gaston Couté ou Aristide Bruant.

Autre grande découverte pour moi cette année-là : Gilbert Bécaud, qui triomphe avec une chanson intitulée *Les Croix*. Le texte est poétique, mais on sent bien l'artiste annonciateur d'un style nouveau. Pas étonnant qu'on le surnomme par la suite « Monsieur 100 000 volts ». Du rock'n'roll avant l'heure ! Pour la première fois en France un chanteur casse la baraque sur scène pendant que son public casse les fauteuils dans la salle.

De mon côté, j'ai l'occasion de constater que les « bancs publics » offrent d'autres possibilités, en particulier les fauteuils de cinéma... C'est bien connu, le cinéma mène à tout, à condition d'y entrer. Toujours trop fauchés pour inviter les copines au restaurant – de toute façon, ça ne se fait pas –, on les emmène dans les salles obscures. Avec en général une petite idée derrière la tête... Après l'esquimau de l'entracte, quand sur l'écran le héros embrasse l'héroïne, on prend la main de la belle et on sait alors si on a une chance. Le cinématographe a beaucoup fait pour notre éducation amoureuse...

Un des problèmes cruciaux de la jeunesse à cette époque consiste à trouver un bon prétexte pour échapper à la corvée de la sortie dominicale en famille. D'autant que mon père vient d'acheter une Simca Aronde gris perle qui a créé l'événement à la maison. Chaque dimanche, nous partons pour d'interminables balades. Tantôt on gravit le mont Sainte-Odile, tantôt on sillonne la plaine d'Alsace, quand on ne prend pas d'assaut les contreforts des Vosges. Mon père triomphe, Guite ferme les yeux aux carrefours, les enfants sur la banquette arrière s'ennuient et finissent par se chamailler. Jeux de mains, jeux de vilains...

Un week-end, je réussis à échapper à la virée hebdomadaire. J'ai rendez-vous avec Claudie, une amie des Arts déco. Nous nous promenons dans un jardin public en bavardant gentiment lorsque soudain l'orage éclate. Un vrai déluge. Un porche nous abrite, la pluie et le vent nous jettent dans les bras l'un de l'autre. « Un p'tit coin d'parapluie contre un coin de paradis, elle avait quelque chose d'un ange... » Et moi qui, fanfaron, ai prétendu avoir l'expérience d'un Casanova ! Jeux de mains, jeux de vilains... Heureusement, la route est tracée. Je n'ai qu'à suivre l'exemple des Burt Lancaster, Cary Grant ou James Stewart. Il faut dire que sous la pluie, avec le tonnerre qui gronde et nos vêtements détrempés, la scène est hollywoodienne. En scope et en relief ! Et pour la première fois, sans les coupures imposées par les codes de censure !

À cette minute, je n'ai qu'une envie, me consacrer corps et âme au plaisir des sens. Et quel métier mieux que celui de comédien me permettrait d'assouvir cette haute ambition ? Les acteurs ne serrent-ils pas dans leurs bras les plus belles femmes du monde ? C'est sans doute ce qu'on appelle aujourd'hui un plan de carrière.

Quant à Claudie, « je l'ai vue, toute petite, partir gaiement vers mon oubli », comme dit Brassens, en conclusion de la chanson suscitée.

Car la famille Charrier était à la veille d'un nouveau déménagement, et je n'ai plus jamais revu celle qui m'avait fait comprendre avec quelques années d'avance cette phrase de Stefan Zweig : « Le mensonge en amour ne commence qu'avec le sentiment. La sexualité brute est d'une totale franchise, qui se borne à promettre ce qu'elle peut donner... »

*
* *

En 1954, nouveau déménagement, dans la sempiternelle tradition militaire. Cette fois, mon père est muté à Montpellier et, dans la foulée, promu au grade de colonel. Fierté et fête dans la famille. D'autant que nous allions retrouver les bords de notre chère Méditerranée, le soleil et les parfums de notre enfance. Mais la perspective de ce bonheur avait, hélas, un goût amer. Difficile de quitter ainsi les copains, et de renoncer à ma première idylle. Il fallut partir, tourner une autre page, sans trop regarder en arrière.

Dès notre arrivée à Montpellier, j'intégrai les Beaux-Arts en classe de céramique et peinture, avec le projet – pourquoi pas ? – de devenir un jour professeur de dessin. Mais rapidement, les cours m'ont ennuyé, tant on y sacrifiait la création au nom d'un académisme moutonnier.

En revanche, les cours du conservatoire d'Art dramatique, où je m'étais aussi inscrit, me passionnaient. Mon professeur me choisit pour interpréter le rôle du très romantique Frédéri dans *L'Arlésienne* d'Alphonse Daudet. À la fin de l'année, nous avons présenté la pièce dans le magnifique théâtre municipal de Montpellier. La magie de mon premier contact avec le public ! Un public qui salua au-delà de mes espérances notre prestation. Mes parents étaient si heureux qu'après le spectacle ils ont invité toute la troupe en face, à l'*Hôtel du Midi*, pour sabler le champagne.

Le lendemain, je fus réveillé par la voix de mon père qui lisait la critique du *Midi libre* à ma mère : « On connaît des comédiens éprouvés qui affrontèrent le rôle de Frédéri et s'y cassèrent les reins. Mais Jacques Charrier a su lui donner les accents déchirants et toujours vrais de la sincérité. C'est un critère qui ne saurait tromper. »

Et le colonel d'ajouter de sa voix forte :

– En voilà un qui est perdu pour l'armée. C'est de la graine d'artiste. Il faut s'incliner devant la vocation.

Mon colonel de père était fier de moi. Voilà qui à mes yeux valait bien toutes les critiques présentes ou à venir du *Midi libre* !

Les dieux étaient avec moi et ils me donnaient des ailes. Dès le printemps, je décidai avec Pierre Nicot, un ami du conservatoire, de monter une troupe théâtrale et d'organiser une tournée pendant les vacances. Nous étions six à nous lancer dans l'aventure. Pierre réussit à convaincre son père, négociant en vins, de transformer en plateau de théâtre l'un de ses camions quinze tonnes, allégé de sa citerne. À la hâte, nous y avons installé une scène à l'italienne, escamotable. Puis nous avons pillé nos greniers pour réunir les accessoires. Et pour éclairer nos jeunes talents, nous n'avons rien trouvé de mieux que de bricoler des projecteurs avec des ampoules fixées dans des boîtes de biscuits Brun. Cette troupe de bric et de broc, nous l'avons pompeusement baptisée « Art et Méditerranée » : autant dire que nous n'avions pas froid aux yeux !

Tout l'été, nous avons sillonné les départements de l'Hérault et du Gard. Forts des autorisations municipales, nous défilions déguisés dans les villages pour annoncer notre spectacle. Le soir, nous donnions la représentation sur le camion. En somme, nous nous posions à la fois en héritiers de Jean-Baptiste Poquelin et en précurseurs de la décentralisation théâtrale...

Notre répertoire tenait lui aussi du bricolage hétéroclite. Nous proposions à notre auditoire un échantillon de différents styles, une « lucarne sur le théâtre », selon l'intitulé – pompeux lui aussi – du spectacle : Molière, Anouilh, Musset, Beaumarchais ou Courteline se côtoyaient gaiement sur scène, au gré de nos humeurs. Car nous faisions la part belle aux improvisations. Poèmes et chansons remplaçaient les morceaux choisis au pied levé. Si nous trouvions un piano de fortune au village, nous appelions dare-dare l'adorable maman de Pierre qui venait de Montpellier nous accompagner dans les chansons de nos idoles, Brassens, Montand, Mouloudji ou Bécaud.

Le public venait nombreux, mais le prix des places, symbolique, ne remplissait pas notre cassette. Tout juste s'il nous permettait de payer le gas-oil pour faire rouler le camion. Après une représentation dans le village de Grabbels, au nord de Montpellier, un journaliste du *Midi libre* ne savait plus s'il devait louer notre talent ou notre désintéressement évident : « Les six jouèrent avec tant de fougue qu'ils tirèrent des larmes et des rires, précieuse monnaie qui, à défaut d'autres, les paie largement de leur labeur. » Il finissait son article en nous prédisant le plus brillant avenir. Nous étions pleins de jeunesse et d'enthousiasme : pourquoi ne l'aurions-nous pas cru sur parole ?

D'autant qu'à la fin de l'année, j'obtins le prix de comédie du Conservatoire de Montpellier. Et, suprême consécration pour l'apprenti-comédien que j'étais, je reçus ma première offre pour intégrer une troupe théâtrale. Mon ancien professeur du Conservatoire de Strasbourg, Antoine Bourbon, auteur de pièces pour enfants, proposait de m'engager pour six mois. Restait à convaincre mes parents. Quatrième de la famille, j'avais heureusement une place idéale pour m'en faire une au soleil : jeunes officiers, mes deux frères aînés assuraient la relève, à la grande satisfaction de mon père. Je n'eus donc pas beaucoup de mal à obtenir l'aval parental, fort des encouragements de ma sœur Évelyne.

Je bouclai mes bagages avec une certaine fébrilité. Cette fois-ci, c'est moi qui déménageais. Je quittais le cocon familial, j'allais être indépendant, poursuivre ma passion, et retrouver mes copains de Strasbourg. On allait voir ce qu'on allait voir !

Une fois sur place, je dénichai une chambre à louer chez un vieux couple d'instituteurs un peu stricts. Je déballai mes affaires et j'ouvris en grand les volets pour respirer à pleins poumons l'air de ma nouvelle vie. À nous deux, Strasbourg !

Soudain, j'entends crier mon nom à la fenêtre d'une maison voisine. Intrigué, je penche la tête au-dehors. Et là, je vois une jeune fille agitant les bras. Alice ! Mon premier baiser ! La vie pouvait donc réserver des coïncidences dignes du théâtre de boulevard ? Ce rebondissement était tout à fait de mon goût.

Deux minutes plus tard, nous tombons dans les bras l'un de l'autre, tout à nos retrouvailles inopinées. Nous convenons d'un rendez-vous le soir même dans le jardin qui jouxte nos maisons. Là, à la faveur de la nuit, nous nous embrassons longuement, avec la fougue des anciens amoureux décidés à rattraper le temps perdu. Sachant mes logeurs couchés, je propose à mon Alice d'aller dans ma chambre explorer le pays des merveilles.

Mes propriétaires, qui ont certainement le sommeil léger, ne doivent entendre qu'un seul pas. Je charge donc Alice sur mon épaule et entreprends l'ascension sur la pointe des pieds. Les marches grincent sous notre poids.

On dit que le meilleur dans l'amour, c'est quand on monte l'escalier... Au moment où nous atteignons la porte du septième ciel, un bonnet de nuit à la Groucho Marx surgit et nous barre la route ! Une torche électrique à la main, ma logeuse se met à hurler :

– Où vous croyez-vous, jeune homme ? Pas de ça chez moi !

Alice a pris ses jambes à son cou. Quant à moi, don Juan à la petite semaine, j'étais congédié tout de go.

Et voilà que je touche mes premiers cachets ! Tous les soirs je joue au théâtre et, la journée, je réussis à me faire engager pour dire des textes à la station de radio locale. À cette époque, la télévision n'a pas encore envahi les foyers, et les pièces radiophoniques sont suivies par un très large public.

Puis j'enchaîne immédiatement avec une tournée dans une vingtaine de villes du Nord et de l'Est de la France : j'interprète Horace de *L'École des femmes* et Fortunio dans *Le Chandelier* d'Alfred de Musset.

En fait de cachets, j'ai un peu l'impression de toucher des cacahuètes. Mais elles sont synonymes de fierté et d'indépendance. Que la vie de bohème est belle ! À moi les plaisirs de la nuit, les bringues improvisées avec les copains de patachon, les caves de jazz... À moi la bourlingue. Nous passons des nuits entières à refaire le monde, à former les projets les plus fous, à draguer les filles, à jouer aux échecs devant des pintes de bière qui sentent fort le houblon. Je goûte la liberté, et pour rien au monde je ne voudrais changer d'existence.

De l'autre côté de l'Atlantique, James Dean vient de se tuer en voiture et en France Édith Piaf chante *L'Homme à la moto*. Le rock'n'roll déferle sur l'Amérique. *Rock around the clock*, la chanson du film *Graine de violence*, commence à envahir la France. Nous ignorons alors que ce n'est qu'un début.

Parfois, nous partons en virée en voiture jusqu'à Paris. Ah, les grands boulevards que chante Montand, combien de fois les ai-je arpentés ! Et la butte Montmartre avec tous ses peintres paysagistes devant leur chevalet ! Quelle joie inouïe d'aller ainsi au hasard...

Un soir d'été, je remonte le boulevard Saint-Germain lorsque j'aperçois un attroupement. Je m'approche, attiré comme un papillon par de gros projecteurs qui brillent dans la nuit. Un film se tourne là, sous mes yeux. J'ose à peine y croire ! Posée sur un chariot, la caméra roule sur un travelling d'une cinquantaine de mètres, suivant un couple d'acteurs que je reconnais aussitôt. Anouk Aimée marche à pas lents au côté de Philippe Lemaire. J'entends qu'on tourne une scène du *Rideau cramoisi* d'Alexandre Astruc.

Je regarde avec attention : c'est donc ainsi que se tourne un film ! Il semble ne rien se passer. Seulement une lumière blanche et des gens qui discutent à n'en plus finir. Ça dure un temps fou jusqu'à ce que quelqu'un ordonne : « On se met en place. » Puis : « Silence. » Puis : « Ça tourne. » Et enfin : « Action. » Alors j'aperçois des gens qui bougent, suivis par une caméra. Le metteur en scène crie : « Coupez. » Et tout le monde s'arrête. À nouveau l'attente.

Je dois ouvrir de drôles de billes, car une voix vient me tirer de mon émerveillement :

– Tu aimes le cinéma, petit ?

Je me retourne et reconnais aussitôt Charles Trenet, le fou chantant en chair et en os. Je balbutie quelques mots, il commence à me parler du cinéma, du Sud et de Paris avec la même joie de vivre qu'il met dans ses chansons. Il est accompagné d'une jeune chanteuse canadienne très jolie, Guislaine Guy, qui se produit en première partie de son spectacle à l'Olympia.

Puis je le vois s'éloigner avec elle sous le ciel étoilé, dans une Cadillac blanche décapotable, roulant joyeux vers son « triangle isocèle entouré de gazon »... la maison du poète.

Mon Dieu, que tout le monde est gentil,
Mon Dieu, quel sourire à la vie,
Mon Dieu, merci d'être ici...

Pendant nos virées parisiennes, nous allons aussi voir des pièces de théâtre : Louis Jouvet dans *Knock* ou *L'École des femmes*, *Un cas intéressant* de Dino Buzzati adapté par Albert Camus, au TNP Gérard Philipe dans *Le Prince de Hombourg*, Pierre Brasseur dans *Nekrassov* de Jean-Paul Sartre, *Jacques ou la soumission* de

Ionesco, *La Machine à écrire* de Jean Cocteau avec le sublime Robert Hirsch et Annie Girardot, *Requiem pour une nonne* de William Faulkner, *Pauvre Bitos* de Jean Anouilh ou *La Visite de la vieille dame* de Friedrich Dürrenmatt... On se régale !

Au retour, on se raconte parfois cette anecdote cruelle attribuée à Sacha Guitry. Un jeune comédien vient solliciter l'aide du maître à la sortie d'un théâtre, muni d'une lettre de recommandation. Après une lecture attentive de cette missive élogieuse, Guitry s'adresse au jeune homme :

– Vous avez du talent, de la présence, me dit-on, une diction parfaite, un physique avantageux. Très bien, très bien... Mais dites-moi un peu, quels rôles avez-vous interprétés ?

Ravi de l'intérêt manifesté par le maître, le comédien s'empresse d'énumérer ses titres de gloire :

– J'ai joué Ruy Blas à Perpignan, Béziers et Montpellier, Lorenzaccio à Grenoble, Arles et Toulon. J'ai joué le Cid à Colmar, Toul et Sarreguemine, Sigismond à Paimpol, Saint-Malo et Nantua. J'ai joué...

D'un geste de la main, Sacha Guitry l'interrompt :

– Arrêtez, arrêtez, cher ami. Vous n'aimez donc pas Paris ?

L'histoire nous fait toujours autant rire, même si c'est un peu jaune... Car nous sentons bien qu'il nous faut, nous aussi, faire le grand saut et monter à la capitale si nous voulons faire carrière.

*
* *

Au cours d'une escapade un peu prolongée à Paris, je tente ma chance au concours d'admission au Centre dramatique de la rue Blanche. C'est à une scène des *Fourberies de Scapin* de Molière que je devrai d'entrer bientôt dans la classe de Berthe Bovy, sociétaire de la Comédie-Française. Je n'irai pas jusqu'à dire que je me sens dans la peau d'un Rastignac dévoré par l'ambition : je veux tout simplement exercer ce beau métier de comédien dans la plus belle ville du monde. Et je suis prêt à étudier avec assiduité le répertoire classique. Car tout comédien sait bien que jouer sur une scène est une affaire sérieuse, au service de textes précis et de metteurs en scène exigeants.

J'ai un pied à Paris. Je m'estime comblé : je vais pouvoir consacrer l'essentiel de mon temps au théâtre, et le « superflu » aux conquêtes amoureuses.

À la radio on entend le duo Roger-Pierre et Jean-Marc Thibault chanter :

À Joinville-le-Pont-pon-pon
Tous deux nous irons-ron-ron
Nous mettre à guincher-cher-cher
Chez Gégè-èèèè-ne.

À nouveau se pose la question : trouver un logement, et fissa, car les cours de la rue Blanche vont bientôt commencer. Une amie me recommande alors d'aller voir un homme qui pourrait peut-être m'aider...

Lorsque je fais la connaissance d'Abel Mounier, il suit un traitement à l'hôpital Saint-Antoine. C'est un simple retraité du Gaz, qui vient d'être victime d'un infarctus. Avec sa trogne à la Gabin, il me fait l'effet de sortir tout droit d'un film de Marcel Carné.

Il possède un appartement sur la butte Montmartre, à deux pas de la rue Blanche, qu'il ne veut pas laisser inoccupé. Nous bavardons un peu. Au bout de quelques minutes de conversation, M. Mounier me tend son trousseau de clés. Comme je lui demande le montant du loyer, il me répond :

– T'inquiète pas de ça, petit. Je te demande juste une chose : passe me voir de temps à autre. Je n'ai plus de famille. Ou c'est tout comme.

Je sors de là un peu interloqué mais fou de joie. Quel coup de chance ! Bientôt, je prends mes quartiers au quatrième étage du numéro 6 de la rue Aristide-Bruant. Jamais je n'ai vu autant de livres dans un si petit espace. Les murs en sont tapissés. Un vélo tandem est suspendu au plafond, comme un mobile de Calder.

Lors de mes visites suivantes à l'hôpital, Abel m'explique que ce drôle d'engin est à ses yeux l'emblème des conquêtes sociales et de l'indépendance de la classe ouvrière, acquises de haute lutte l'année de ma naissance. Il me fait promettre d'en prendre soin. Je me mets donc à graisser, lustrer et vérifier chaque maillon de chaîne du mythique tandem, imaginant Abel, perché sur sa monture en compagnie de sa belle, partant vers l'ivresse des guinguettes de bord de Marne.

Régulièrement, je vais rendre visite à M. Mounier. Je lui apporte des victuailles et des nouvelles fraîches, puis j'écoute le récit de sa vie exceptionnelle. Cet autodidacte de soixante-quinze ans bien sonnés a été très actif durant le Front populaire. Il me parle de ses combats contre les franquistes dans les Brigades internationales, et dans la Résistance, contre les nazis. Il les a tous pratiqués ! Je suis suspendu à ses lèvres. Et chaque semaine, ce qui aurait dû être une corvée devient un vrai plaisir, j'attends avec impatience d'être au dimanche suivant pour aller retrouver mon vieil ami dans la salle commune de l'hôpital.

Pour M. Mounier aussi, ma visite est une vraie fête. Dès que j'arrive, je m'assieds près du lit et nous bavardons. Au moment de partir, il prend l'habitude de me donner un livre, en me demandant de le lire pour le dimanche suivant.

– Il faut au moins que tes visites te servent à quelque chose...

Et une semaine plus tard, nous parlons du bouquin, que j'ai lu, bien entendu. C'est ainsi que je dévore Stefan Zweig, Louis Aragon, Henry Miller, Lawrence Durrell, Boris Vian et Roger Vailland. C'est aussi à Abel que je dois la découverte de l'un de mes livres fétiches : *Moravagine.* Blaise Cendrars revient d'ailleurs souvent dans nos conversations : cet homme a écrit de son unique main gauche, dans une maison qui n'était pas chauffée, se nourrissant à peine, ruminant la mort de ses fils sur le front, privé de sa bibliothèque détruite par les Allemands. Pourtant, il a continué à vivre, à espérer, à aimer. Comment peut-on souffrir sans devenir un monstre ?

Abel Mounier n'a pas renoncé, lui non plus. Sur son lit d'hôpital, il apprend à jouer de la guitare. Sur sa table de chevet trône la photo dédicacée d'Ida Presty, une guitariste virtuose.

– Tu vois, Jacques, je suis allé écouter cette immense artiste en concert à Pleyel il y a un an. J'ai été tellement séduit que je me suis juré de ne pas mourir avant d'avoir réussi à jouer les *Quatre Saisons* de Vivaldi !

Cette curiosité face à la vie, Abel Mounier me la transmet, par injection hebdomadaire. Merci, ô toi, mon père spirituel.

À Montmartre, je suis abonné au plat du jour chez « Mimi », la patronne du bistrot du coin. Une femme adorable qui a le tact de mettre à l'aise ses nombreux débiteurs : pour un peu elle s'excuserait presque de la situation inconfortable dans laquelle elle les place en leur faisant payer leur repas.

Un soir, en rentrant tard, je trouve un mot de Mimi glissé sous ma porte : « Je suis triste de t'apporter cette terrible nouvelle. M. Mounier nous a quittés ce matin. Les médecins ont tout essayé. » Je reste effondré, inconsolable.

L'enterrement a lieu deux jours plus tard dans un petit cimetière à une trentaine de kilomètres de Paris, sous une pluie glaciale. Je m'attendais à marcher seul derrière un maigre corbillard et quelques croque-morts. M. Mounier me disait qu'il avait rompu depuis belle lurette avec le peu de famille qui lui restait, et je n'ai jamais vu personne lui rendre visite à l'hôpital. Mais, surprise, une dizaine de corbeaux sont là, des cousins éloignés dont Abel Mounier m'a dit pis que pendre.

On descend le cercueil dans la fosse. Lorsque je vois les fausses mines contrites de ces « proches », je repense à M. Mounier, je repense à sa joie de vivre, et je suis pris d'un fou rire nerveux. Que sont-ils venus chercher, ces vautours qui ont toujours considéré leur parent comme un mouton galeux ? Je vois des regards haineux se porter vers moi.

Au moment de partir, un froc noir s'approche et me lance méchamment :

– Toi, le rigolard, tu ne perds rien pour attendre.

Ils grimpent tous dans leurs voitures et me laissent planté là, à la porte du cimetière. Je n'ai pas compté les kilomètres à pied pour gagner la gare la plus proche. Lorsque j'arrive enfin rue Aristide-Bruant, je trouve ma valise sur le palier, avec ce mot de menace épinglé sur la poignée : « Nous savons où vous joindre. S'il manque le moindre objet, vous aurez de nos nouvelles. » Les cousins flingueurs n'ont pas perdu leur temps : ils ont déjà changé les serrures. Je les imagine tout affairés par le partage d'une bien maigre succession.

Écœuré, je prends ma valise sous le bras et je les abandonne à leurs comptes sordides. Ils peuvent bien garder les petites cuillers, et même couper en deux le tandem du temps des cerises. Il me reste le meilleur, l'inusable, cette leçon de vie que me laisse Abel.

*
* *

Quelques jours plus tard, j'emménageai dans une chambre d'étudiant, rue des Pyramides. Comme beaucoup de jeunes de ma génération, j'assurais le quotidien grâce à des petits boulots de démarchage à domicile : des aspirateurs Connor aux contrats d'assurance vie, en passant par les encyclopédies en dix tomes. Mon boniment n'était pas signé Claudel, mais j'avais l'impression de faire des travaux pratiques sur la crédibilité de l'acteur...

Un jour, j'appris que l'on cherchait des figurants à la Comédie-Française. Je me suis présenté et j'ai eu la chance de signer un contrat de stagiaire qui me mettait à l'abri des fins de mois difficiles.

Je jouais en alternance dans deux pièces : *Coriolan* de Shakespeare avec Paul Meurisse, au Palais-Royal, et *Les Misérables* à l'Odéon avec Aimé Clarion et une jeune actrice follement douée, Annie Girardot, déjà pensionnaire au Français. Je faisais mes classes ; j'apprenais en côtoyant sur scène et dans les coulisses mes aînés les plus talentueux : Robert Hirsch, Jacques Charron, Georges Descrières, Renée Faure... Pas de quoi affoler les producteurs hollywoodiens, peut-être, mais ces grands acteurs portaient haut le flambeau du répertoire et représentaient pour moi le sommet de la réussite dans ce métier.

J'étais en deuxième année rue Blanche lorsque le metteur en scène René Dupuis me confia le rôle de Cléante dans *L'Avare*. Nous avons donné une trentaine de représentations exceptionnelles dans un décor et des costumes fastueux. Un vrai rôle, dans une grande pièce classique : je commençais à peine à réaliser que je pouvais faire carrière.

*
* *

Été 1957. Une audition a lieu pour une pièce qui doit se jouer au théâtre Montparnasse, rue de la Gaîté. C'est Marguerite Jamois, épouse de Gaston Baty, digne représentant du fameux cartel théâtral avec Copeau, Dullin et Jouvet, qui monte *Le Journal d'Anne Frank*, une pièce de Frances Goodrich et Albert Hackett, adaptée par Georges Neveux. On recherche un jeune acteur pour interpréter Peter Van Daan, le fiancé d'Anne Frank.

Je me suis empressé de lire le texte, tiré du journal intime écrit par une adolescente de treize ans entre 1942 et 1944. Deux familles juives, réfugiées aux Pays-Bas, recueillies par des Hollandais, vivent recluses dans un grenier exigu, où elles finiront par être découvertes par la Gestapo, puis déportées au camp de Bergen-Belsen. Anne Frank et les siens seront exterminés le 12 mars 1945.

En découvrant ce témoignage poignant, je fus pris d'une envie irrésistible de décrocher le rôle. Mon désir était si fort qu'il tournait à l'obsession : « Si tu n'obtiens pas le rôle, me disais-je, tu n'es pas fait pour ce métier. Tu pourras plier bagage et retourner aux Beaux-Arts à Montpellier. »

Je me suis inscrit pour l'audition. Nous étions une bonne vingtaine de candidats, parmi lesquels Jean-Jacques Debout, futur interprète de la chanson à succès *Les Boutons dorés* et compositeur de talent, et Philippe Benoit, qui est resté l'un de mes plus fidèles amis. Je dis mon texte, avec toute la passion de mes vingt ans.

Miracle, quelques jours plus tard, un courrier m'informa que j'étais retenu. Le 7 juillet 1957, j'étais engagé au prestigieux théâtre Montparnasse. J'étais fou de bonheur, si fier d'entamer une carrière à Paris dans une création d'une telle richesse humaine !

L'intensité du sujet rendait les répétitions éprouvantes. Nous avions conscience d'incarner la souffrance d'un peuple, et d'être porteurs d'un message universel contre la barbarie, un message qui se résumait par les derniers mots écrits par Anne Frank dans son Journal au moment où elle entend le bruit des bottes des soldats venant les arrêter : « Je crois, je continue à croire, malgré tout, que dans le fond de leur cœur, les hommes sont réellement bons. » La comédienne qui tenait le rôle d'Anne Frank était Pascale Audret, une grande révélation. Elle était totalement habitée par son personnage.

Deux mois de répétitions quotidiennes, et les trois coups sont donnés le soir du 28 septembre 1957. Nous sommes tous dans nos petits souliers. La générale est un triomphe : trente rappels du public qui, debout, ovationne les comédiens et la mise en scène de Marguerite Jamois. Le lendemain, les critiques sont dithyrambiques. Jean-Jacques Gautier, le redouté critique du *Figaro*, écrit : « Je n'ai jamais entendu un silence pareil. Un silence broyé d'émotion. Ce fut poignant. Nous ne pouvions sortir de ce silence-là que par des salves d'applaudissements et d'acclamations. » *Les Nouvelles littéraires* s'enflamment sous la plume de Gabriel Marcel : « ... ce fut vraiment l'autre soir comme si une porte s'ouvrait sous une poussée irrésistible pour laisser passer le souffle impérieux de la vérité. » *Le Canard enchaîné*, *Le Parisien libéré*, *Le Monde* encensent la pièce. « Une telle œuvre honore les comédiens qui l'interprètent, et ces comédiens-ci honorent cette œuvre », s'enthousiasme Elsa Triolet dans *Les Lettres françaises*. La pièce fut jouée six cents fois...

Un soir, alors que je me démaquillais dans ma loge après la représentation, un homme apparut sur le seuil. Gérard Philipe ! Le modèle, l'acteur mythique ! J'étais presque gêné par ses compliments. Et il m'invitait à déjeuner avec lui ! Le lendemain, je me retrouvais en tête à tête avec Gérard Philipe dans un restaurant de la place du Trocadéro. Avec des mots simples et chaleureux, il me conta les joies et les affres de ce métier, me donna force encouragements, me prédisant un bel avenir professionnel. Il me dit aussi l'attachement indéfectible qui le liait à Jean Vilar et à sa recherche théâtrale dans le cadre du Théâtre national populaire et du Festival d'Avignon.

En sa présence, on ressentait sans qu'il ait besoin de l'exprimer son mépris pour les fausses valeurs, et sa révolte devant les misères du monde. Il me parla du rôle qu'il voulait jouer en tant que président du Comité national des acteurs, de sa volonté de défendre les conditions sociales du comédien.

– On dit souvent que le talent n'est pas méconnu. C'est peut-être vrai pour les écrivains, qui peuvent être découverts dix, trente ou cinquante ans après leur mort. Un comédien, lui, mène une lutte dangereuse avec et contre le temps...

Cette rencontre était une sorte d'hommage d'un prince au jeune sujet prometteur. J'étais adoubé ! Comme un chevalier de la Table ronde par le roi Arthur. Et dire que j'étais à Paris depuis à peine deux ans...

Quel tragique destin ! En novembre 1959, Gérard Philipe disparaissait. Il n'avait que trente-sept ans, et encore tant à donner au public ! Il fut enterré au cimetière de Ramatuelle dans son costume de Rodrigue, comme pour immortaliser l'un de ses plus grands rôles, dans *Le Cid* de Corneille. Et Louis Aragon de poétiser : « Gérard Philipe ne laisse derrière lui que l'image du printemps. »

*
* *

Début 1958, j'allai écouter un chanteur anarchiste qui se produisait sur la scène de Bobino, juste en face du théâtre Montparnasse. Avec son style libertaire et ses textes engagés, Léo Ferré devait révolutionner la chanson française. Fan de la première heure, je collectionnais ses disques que je me passais et me repassais : *Graine d'ananar*, *Dieu est nègre*, *Paris Canaille*, *Vise la réclame*, *Vitrines*, *L'Homme*, *Saint-Germain-des-Prés*... Artiste sans concession, il allait là où ses contemporains n'étaient jamais allés. Violent, incisif, torturé, il décrivait – décriait – son époque avec toute l'ironie du monde, dans la lignée des Rutebeuf et Bruant.

Je suis la raison d'espérer
De l'anarchiste et du poète
Et je tiens leurs idées au frais
En attendant qu'on les arrête.

C'était un dimanche après-midi. Les derniers spectateurs s'en étaient allés, et je me retrouvais seul, abasourdi d'émotion, dans le théâtre vide de Bobino où résonnait encore l'éclat de ses textes. Soudain, j'ai vu une silhouette noire traverser la salle, cigarette au bec, suivie d'un gros chien sans laisse.

– Ça va ? me lance-t-il, étonné de me voir assis là.

Hébété, je balbutiai :

– Je vais même très bien. Je suis simplement sous le choc de votre spectacle.

Je lui dis que je jouais au théâtre en face mais que, de toute façon, je serais venu de l'autre bout du monde pour l'entendre.

– Tu es acteur ? Alors on fait le même métier ! Viens, je t'invite à prendre un verre.

Et nous voilà attablés dans une brasserie de la rue de la Gaîté, *La Belle Polonaise*. Transcendé, il me parlait avec emphase de ses maîtres inspirateurs et de leurs œuvres : les *Poèmes saturniens*, *Une saison en enfer*, *La Diane française* et le *Roman inachevé*. Il me confia sa joie de chanter pour la première fois sur la scène de Bobino. Il me demanda d'où je venais, qui j'étais, quels étaient mes projets, et mes ambitions. Je lui parlai du théâtre, de mon envie de tâter du cinéma.

– Ne sois pas qu'un acteur. C'est bien joli d'avoir son nom sur une affiche mais le plus important est ailleurs. Bouffe la vie ! Aime les filles ! Baise ! Mais surtout ne te marie jamais ! Et ne te laisse jamais faire ! Apprends à dire « non », c'est le mot le plus fort, celui qui te préservera des importuns ! Ce qui compte, c'est d'être heureux ! Le reste, la gloire, l'argent, le pouvoir, n'est qu'une illusion. Si tu es intelligent, tu seras heureux. On ne t'apportera pas le bonheur sur un plateau ! Il faut que tu le prennes, que tu le voles. Le bonheur, c'est un hold-up permanent !

Je l'écoutais avec fascination, tant je reconnaissais dans ses propos la véhémence de ses chansons. Ainsi, l'art et la vie pouvaient ne faire qu'un ! Ces mises en garde s'inscrivaient en moi comme autant de principes qui me paraissaient fondamentaux. Même si, par la suite, je ne les ai pas tous suivis...

Au moment de me quitter, il m'a serré longuement la main et m'a laissé méditer cette formule énigmatique :

– Tu sais, chaque homme mûrit aux dépens de ses profondeurs.

Il s'est engouffré dans un taxi et a disparu dans la nuit. Je restai seul sur le trottoir. Il tombait une petite pluie fine qui me glaçait. Je venais de rencontrer un homme d'exception.

*
* *

J'avais la sensation d'aller de succès en rencontres extraordinaires. Je jouais, je gagnais ma vie. J'étais entré au théâtre par la grande porte. Désormais, je pouvais rire de bon cœur de l'histoire de Sacha Guitry : oui, j'aimais Paris et Paris me le rendait bien !

Même si je n'avais pas ce que l'on peut appeler les dents longues, je me sentais pousser des ailes. Car je n'avais pas eu besoin de galérer trop longtemps pour monter sur les planches d'un théâtre... dans ce Paris si convoité.

Pour l'heure, je n'avais pas à me plaindre, j'étais plutôt chanceux. D'autant que mon ordinaire s'améliorait nettement : je louai bientôt un appartement sympa rue Le Goff, à deux pas du jardin du Luxembourg, entre la rue Soufflot et la rue Gay-Lussac, et j'achetai une 203 Peugeot décapotable. C'était tellement plus facile pour draguer les filles ! Là aussi, le métier de comédien facilitait les choses...

Dans la foulée du *Journal d'Anne Frank*, le cinéma me faisait les yeux doux. Les propositions commençaient à affluer, et la célébrité pointait son nez.

Un soir, Marcel Carné assista à la représentation du *Journal d'Anne Frank*. Le lendemain, j'étais « convoqué » aux studios de Boulogne-Billancourt pour des essais. Ma bonne étoile veillait toujours... J'avais une chance de tourner avec le chef de file du réalisme poétique, celui à qui l'on devait des chefs-d'œuvre comme *Drôle de drame*, *Quai des brumes*, *Le jour se lève*, *Hôtel du Nord*, *Les Visiteurs du soir* et *Les Enfants du paradis*.

Ce jour-là, je ne me suis trouvé ni meilleur ni plus mauvais qu'un autre. Mais quelques jours plus tard, on m'a informé que j'obtenais l'un des rôles principaux du film *Les Tricheurs*, aux côtés de Pascale Petit, Andréa Parisy et Laurent Terzieff. D'autres jeunes acteurs avaient été retenus, parmi lesquels Jean-Paul Belmondo, Guy Bedos, Claude Giraud, Dany Saval...

Commença dès lors une course effrénée contre la montre : je passais la journée sur le tournage du film et, le soir, je courais au théâtre Montparnasse. Je quittais en hâte les bras de

Pascale Petit pour me jeter à temps dans ceux de Pascale Audret...

Les Tricheurs était une comédie dramatique qui faisait penser à une version française de *La Fureur de vivre* de Kazan. Nous étions à la fin des années cinquante, et l'influence américaine se faisait déjà sentir. Le rock'n'roll commençait à envahir la France, les jeunes en jeans et blouson noir devenaient la cible privilégiée de la consommation de masse. Une lame de fond pré-soixante-huitarde se profilait, sans que nous y prenions garde. Cinéaste éclairé, Carné avait saisi au vol le sujet d'une jeunesse en pleine révolution socio-culturelle pour l'adapter au cinéma sur fond de mal de vivre. Bob et Mic ont vingt ans et s'aiment d'un amour total, immédiat, éternel. Seulement, ils ne veulent croire qu'à l'amour physique, car la mode est au mépris des beaux sentiments. Et puisqu'ils ne veulent pas être dupes, ils entendent rester « libres ». Ils trichent alors avec eux-mêmes, refusant l'évidence, se jouant la comédie de l'indifférence jusqu'au drame fatal. Ils sont les Roméo et Juliette de Saint-Germain-des-Prés, comme l'a dit Carné ; mais ces amants-là ne sont séparés ni par des familles ennemies, ni par des traditions paralysantes. Ils sont victimes de leurs propres tabous.

Nous étions tous amoureux de la divine et talentueuse Pascale Petit, mais son cœur était déjà pris.

Dalmas / Sipa

1959.
En amoureux,
nous passons
une semaine
en Camargue.

Dalmas / Sipa

Dalmas / Sipa

1959. En Camargue, encore.

Avril 1959 : avec Brigitte et Christian-Jaque, en partance pour Londres.

9 avril 1959 : interview avec Brigitte et Christian-Jaque à l'hôtel Savoy de Londres.

Dalmas / Sipa

Dalmas / Sipa

9 avril 1959 : fin du tournage extérieur de BABETTE S'EN VA-T-EN GUERRE. Retour à Paris.

Dalmas / Sipa

Dalmas / Sipa

Le Train Bleu : départ en lune de miel, juin 1959.

Sipa Press

Lune de miel à Saint-Trop'.

E. Quinn / Sipa

Le temps du bonheur...

Dalmas / Sipa

Bonjour la vie ! Janvier 1960 : Nicolas et sa maman.

15 février 1960 : séquence de l'Alfa Roméo en panne dans un Chamonix enneigé.

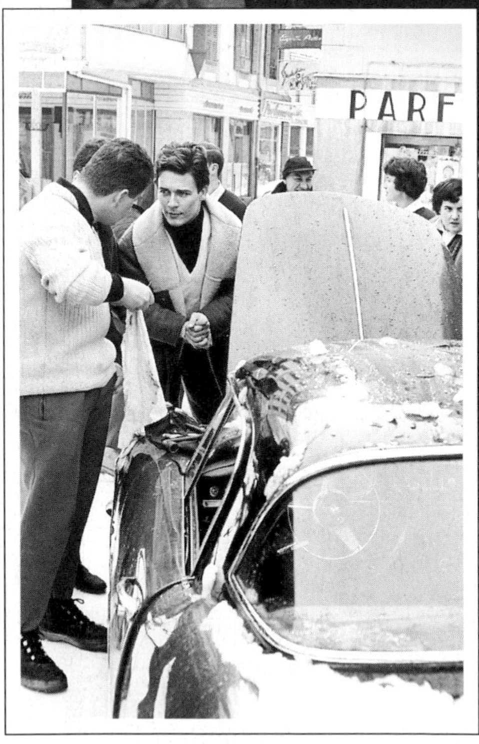

Photos : Dalmas / Sipa

GRANDS

Vacances...
Arrivée au petit matin
à Saint-Raphaël. Dans une heure
nous serons à Saint-Tropez.

Dalmas / Sipa

Bain de soleil sur le ponton de la Madrague.

Photos : Dalmas / Sipa

Dalmas / Sipa

11 mars 1960, baptême de Nicolas : son parrain est Pierre Lazareff, sa marraine Christine Gouze-Raynal. Nicolas a trois mois.

Dalmas / Sipa

11 mars 1960 : Brigitte est heureuse
d'avoir baptisé son fils Nicolas.

D.R.

1958. Mes premiers pas d'acteur, sur le tournage des TRICHEURS, sous la direction de Marcel Carné.

G. Durieux

1964. Lors de la semaine du cinéma français, à Tokyo, au côté de Marie-France Pisier, Jean-Louis Trintignant et Claude Lelouch.

D.R.

Avec Marie Laforêt, dans le film de [illegible] Deville, À CAUSE À CAUSE D'UNE FEMME.

Avec mon partenaire Michael Lonsdale, dans le film d'Antoine Bourseiller, MARIE SOLEIL.

M. Lonsdale

D.R.

En 1964, scène de dispute avec Marie-José Nat dans LA VIE CONJUGALE, un film d'André Cayatte.

Keystone

Photo de mariage...

Le tournage aux studios de Saint-Maurice près de Paris fut une gigantesque surprise-partie. On était loin des films intimistes : des centaines de figurants se bousculaient, dont beaucoup de jolies filles. Carné avait reconstitué Saint-Germain-des-Prés, avec ses bistrots, notamment *Le Bonaparte* et *La Pergola*. Nous vivions sur une petite planète qui ressemblait fort à celle que nous fréquentions hors studio.

Chaque soir, après mon spectacle au théâtre, je retrouvais les copains, presque toute l'équipe du film. Une vraie famille. On vivait en bande. Avec eux, j'ai investi le Quartier latin, la rue Saint-Benoît. On aurait juré que s'y jouait la suite du film, mais sans caméra.

Ce n'était pas une rue comme les autres : c'était le haut lieu de ralliement pour noceurs et bringueurs de tout poil, on était sûr d'y tomber sur des têtes connues. Et là, pas question de barrières sociales.

Le jazz nous collait à la peau. La journée, nous dansions sur la musique du film composée par Dizzy Gillepsie, Coleman Hawkins, Oscar Peterson et Stan Getz. Et la nuit, on pouvait arriver à n'importe quelle heure dans les caves enfumées de Saint-Germain, il se passait toujours quelque chose de jazzy : un bœuf avec Stéphane Grappelli au violon et Sacha Distel à la guitare, ou un numéro de claquettes époustouflant d'un danseur nommé Jean-Pierre Cassel. Cartes en mains jusqu'à l'aube,

Jacques Santi, Jacques Riberolles et Philippe Miserey s'initiaient déjà au stud poker. La rue Saint-Benoît était le véritable vivier des révélations des années soixante. On y croisait Claude Brasseur, Bernadette Lafont, Jean-Claude Brialy, César, Françoise Sagan... Et en voyant arriver le beau Alain Delon au volant de son MG, nous savions qu'avec un peu de chance, il pourrait se faire une place au soleil. Son physique à la James Dean allait vite le sortir de l'anonymat.

On a peine à imaginer le brassage de filles et de garçons que le tournage des *Tricheurs* a pu générer. Aujourd'hui encore, il m'arrive de croiser des hommes et des femmes qui ont participé à ces trois mois de happening haletant.

Redouté dans le métier pour ses coups de sang, Marcel Carné, dont le nom était l'anagramme prophétique d'ÉCRAN, dirigeait toute cette jeunesse avec calme et humour.

Nous sommes en 1958, Dario Moreno chante *Si tu vas à Rio*, tandis que Richard Anthony proclame l'arrivée de la *Nouvelle Vague*. *Les Amants* de Louis Malle défraient la chronique : pour la première fois au cinéma, on filme une scène d'amour de façon réaliste.

Le 13 mai 1958, les généraux partisans de l'Algérie française appellent le général de Gaulle. Il est investi président du Conseil et reçoit les pleins pouvoirs de l'Assemblée. Le 4 juin, il se rend en Algérie où il prononce son fameux discours : « Je vous ai compris ! » Mais qu'avait-il compris exactement ? Quelques mois plus tard, il est le premier président de la République élu au suffrage universel.

L'armée française obtient la saisie de plusieurs journaux, *L'Observateur*, *L'Express* et l'*Avant-Garde* qui publiait dans ses colonnes la lettre d'un jeune appelé ayant refusé de « prendre les armes contre le peuple algérien ».

Le soir de la première des *Tricheurs* au Marignan sur les Champs-Élysées, Carné me présente son vieux complice Jacques Prévert, qui a signé les scénarii de ses plus grands chefs-d'œuvre : *Drôle de drame*, *Quai des brumes*, *Le jour se lève*, *Les Visiteurs du soir* et *Les Enfants du paradis*. Clope au bec, Prévert me donne une tape dans le dos : « Bravo mon petit gars, je ne me fais pas de bile pour toi ! Tu iras loin dans le cinoche, si les p'tits cochons ne te mangent pas. » Ainsi s'exprimait Prévert, l'auteur impertinent des poèmes de *Paroles*, que j'avais travaillés à mes débuts ! Il habitait au pied de la butte Montmartre, une ruelle derrière le Moulin-Rouge.

– Puisque tu connais le quartier, me dit-il, passe me dire bonjour à l'occasion.

J'étais aux anges.

L'occasion ne se fit pas attendre. Deux jours plus tard, je sonnais à sa porte. Son appartement ressemblait à un mas provençal, avec ses murs blancs et ses pièces sans portes. Sobre et sans fioriture, à l'image de ses poèmes, il était jonché de livres qui s'empilaient partout sur les étagères, sur les tréteaux, sur les chaises, et à même le sol. Prévert s'esclaffait en regardant sa fillette sauter joyeusement d'une pile à l'autre.

Péremptoire, il me tendait des ciseaux avec lesquels je découpais dans les magazines des nez, des bouches, des pieds, des bras, des jambes, des têtes d'animaux... que cet artiste pince-sans-rire savait si bien agencer pour composer ses collages à la manière de Man Ray. Il ne se doutait peut-être pas que peu de temps après sa mort, une galerie du faubourg Saint-Honoré lui consacrerait une exposition. Passant par là, je fus ému alors d'y retrouver mes heures de récréation chez Prévert... devant certaines compositions auxquelles j'avais participé.

Fin 1958, *Les Tricheurs* envahissent les écrans de cinéma. C'est l'événement cinématographique de l'année. Un film culte, un énorme succès commercial qui bat des records de fréquentation partout en Europe. Pour le producteur Robert Dorfman, quel coup de maître ! « La jeunesse retrouvait un aspect de l'existence qu'elle aimait, analysera plus tard Marcel Carné dans sa biographie. Les parents, sidérés, et parfois atterrés, découvraient à quels jeux se livraient leurs enfants lorsque, se contraignant à aller au spectacle, ils leur prêtaient pour un soir, en toute innocence, leur appartement. »

Au même moment déferlait sur la France la Nouvelle Vague – cette querelle sans cesse recommencée des Anciens et des Modernes – qui jetait un pavé dans la mare du cinéma traditionnel. Jean-Claude Brialy venait de tourner *Le Beau Serge*, le film de Claude Chabrol qui le révélait au grand public. Et Belmondo allait « crever l'écran » dans un film de Jean-Luc Godard qui s'imposerait comme la référence d'un style, *À bout de souffle...*

En 1959, le Festival de Cannes révèle deux premiers longs métrages, *Hiroshima, mon amour* d'Alain Resnais, et *Les 400 Coups* de François Truffaut. Une insolente liberté de ton se dégage de ces films, en même temps que les conditions de tournage connaissent un formidable bouleversement : légèreté des caméras, grande mobilité scénographique, décors en extérieur.

On a présenté à tort *Les Tricheurs* comme le fruit de la Nouvelle Vague, parce que représentatif de la jeunesse d'alors, joué par des acteurs qui se sont engouffrés dans la brèche du nouveau cinéma, comme Jean-Paul Belmondo et moi-même. On oublie simplement que, la cinquantaine passée, Carné n'était plus le jeune réalisateur du cinéma d'après-guerre.

Les Cahiers du Cinéma ne s'y sont pas trompés. Le septième art connaissait une véritable révolution œdipienne. Pour exister, les jeunes réalisateurs avaient besoin de tuer le père, et Carné était l'un d'entre eux. On lui en voulait même un peu d'avoir fait un film sur la jeunesse, thème censé appartenir en exclusivité à la génération montante. On trouvait son audace d'autant plus indécente que le film avait fait un tabac.

Lorsque j'ai assisté, six mois après la sortie des *Tricheurs*, à la projection des *Cousins* de Chabrol avec Jean-Claude Brialy, j'ai compris que la Nouvelle Vague avait de beaux jours devant elle. Un avis partagé par François Chalais, qui réalisa ma première interview télévisée avec le talent de portraitiste qu'on lui connaît.

À cette époque, Jean-Pierre Mocky m'a proposé de jouer dans son deuxième long métrage, *Les Dragueurs*. Le film se tournait dans les rues de Paris, en décors naturels. Tout le contraire du tournage que je venais de vivre avec Marcel Carné. L'organisation était plus artisanale, le style plus dépouillé, plus moderne, l'équipe technique plus réduite. Mocky était un cinéaste angoissé, un doux dingue très attachant, un passionné qui savait ce qu'il voulait. J'avais pour partenaire Charles Aznavour, « qui voyait déjà son nom en haut de l'affiche ».

Nous formions un duo de joyeux drilles incorrigibles, draguant les jolies filles tous azimuts. Mon personnage était celui d'un séducteur décontracté et baratineur, à qui le succès souriait, et qui en faisait profiter allègrement son copain de patachon, un peu maladroit et inhibé.

Pour moi qui venais de l'univers théâtral, les plateaux de cinéma n'allaient pas sans une certaine frustration. En effet, j'étais habitué à ces longues et passionnantes répétitions où peu à peu se mettent en place un texte, un jeu scénique, une histoire. J'aimais cette lente appropriation d'un personnage, et la tension qu'il y avait à le faire évoluer en contact direct avec un public – sans droit à l'erreur. Le cinéma me dépossédait quelque peu de ce plaisir puisque je devais y composer avec les nécessités du découpage plan par plan, sans souci chronologique, et avec cette étrange magie du montage, qui permet tous les ajustements possibles. Avec son sens bien connu du raccourci efficace, Jean Gabin l'a bien dit : « Au cinéma, si le metteur en scène est génial, tu peux faire jouer un chien, il sera génial. »

Face à cette réalité, bon nombre de comédiens ont dû faire le choix entre le cinéma et le théâtre. Dans cette lignée, Jean-Louis Barrault – le mime des *Enfants du paradis* – et Laurent Terzieff – le blouson noir des *Tricheurs* – ont délibérément préféré mener une carrière théâtrale. Et bien leur en a pris.

Pour ma part, j'aurais voulu brûler les étapes, et je rêvais déjà d'interpréter de beaux grands rôles, tel Alceste dans *Le Misanthrope* de Molière. Je m'en ouvris naïvement à Jean Vilar, que j'avais rencontré au TNP à Chaillot. Il me ramena tout de suite à la réalité de mon emploi de jeune premier :

– Tu as choisi un métier où il faut savoir attendre. Ne sois donc pas trop pressé. Pour l'instant, tu n'es qu'Horace, le jeune amoureux de *L'École des femmes* : tu n'as pas encore la maturité d'un Alceste. Tu évolueras avec les rôles de ton âge.

Le grand Vilar avait parlé. Je me résignai donc à suivre le cours naturel de ma carrière.

Et puis pourquoi douter ? L'avenir me semblait des plus prometteurs. On écrivait dans les journaux que je faisais partie, avec Jean-Claude Brialy, Jean-Paul Belmondo, Jean-Pierre Cassel et Bernadette Lafont, des « égéries du nouveau cinéma ».

Ma prestation dans le film de Carné m'avait valu un prix d'interprétation aux Victoires du cinéma. Fin 1958, j'étais un acteur connu, sollicité – tant en France qu'à l'étranger –, et j'enchaînais film sur film.

Parmi les scénarii que je reçois en ce début de l'année 1959, se détache une histoire d'une puissance dramatique étonnante. Je rencontre sur-le-champ René Clément, le réalisateur de *Jeux interdits*, qui me confie le premier rôle de *Plein Soleil*, avec pour partenaire Alain Delon.

3

« Parlez-moi d'amour »

On s'est rencontrés par hasard
Ici, ailleurs ou autre part,
Il se peut que tu t'en souviennes.
Sans se connaître on s'est aimés,
Et même si ce n'est pas vrai,
Il faut croire à l'histoire ancienne.

Léo FERRÉ, *La Vie d'artiste.*

Cigarettes, whisky et p'tites pépées, voilà le programme que chantait Eddy Constantine en 1958. C'était aussi celui du dragueur que j'incarnais pour Mocky, et en partie le mien. Dans les soirées, nous dansions le be-bop. Bécaud, qui décidément avait tout compris, chantait

Salut les copains, le titre célébrissime de la première émission pour teenagers. Le mot de « fans » était inventé pour désigner les admirateurs de... Dalida, qui venait de triompher avec *Bambino* et *Gondolier*. On avait le droit de préférer *La Foule* entraînante de Piaf ou l'hilarant *Blues du dentiste* écrit par Boris Vian et interprété par Henri Salvador.

Nicole B. m'avait invité à une « boum » chez ses parents. Son père était producteur de cinéma, elle-même était une excellente actrice, intelligente, très jolie de surcroît. Nous nous sommes retrouvés, une vingtaine de jeunes gens, dans un bel appartement du XVIe arrondissement. J'avoue que j'étais venu tout spécialement pour Nicole, à qui je rêvais de faire un brin de cour.

On bavardait, on dansait des be-bops endiablés et des slows langoureux, mettant à profit les lumières tamisées pour nous rapprocher de nos cavalières. On échangeait des baisers, voire quelques caresses furtives dans une ambiance bon enfant, entre petits fours et politesses de convenance. Je m'empressais autour de Nicole.

Je dansais avec elle quand elle m'a demandé, l'air étonnée :

– Tu as vu que Brigitte est là ?

– Brigitte ?

– Bardot, voyons !

– Et alors ?

Effectivement, j'avais bien aperçu une fille qui ressemblait à Brigitte Bardot, mais je n'imaginais pas qu'elle pouvait être là. Mon indifférence n'était pas seulement une fanfaronnade. En fait, je n'avais vu aucun de ses premiers films, à la renommée modeste : *Le Trou normand ; Manina, la fille sans voile ; Le Fils de Caroline chérie ; Rendez-vous à Rio* ou encore *Les Week-Ends de Néron*, dans lesquels elle jouait une pin-up sexy. Moi qui avais un œil rivé sur Hollywood et l'autre sur la Nouvelle Vague, ce cinéma-là ne pouvait guère m'intéresser... Mais Brigitte Bardot venait d'exploser avec la sortie de *Et Dieu créa la femme*, écrit et réalisé par son mari Roger Vadim. Son érotisme provocant, si novateur, avait fait triompher le film à l'étranger – notamment aux États-Unis – puis en France. Subitement, elle était passée du statut de starlette à celui de phénomène international. Mais j'avoue que, physiquement, je fantasmais beaucoup plus sur Lauren Bacall, Gene Tierney ou Silvana Mangano !

Nicole reprit :

– Elle m'a confié qu'elle aimerait bien danser avec toi !

La boum, le slow, la copine entremetteuse... J'avais presque l'impression de tourner une nouvelle scène des *Tricheurs*. Ou alors j'étais tombé dans un sketch de Guy Bedos. J'ai répondu à Nicole :

– Est-ce que tu t'es seulement posé la question de savoir si moi j'ai envie de danser avec elle ?

– ... ?

– Tu sais bien que c'est avec toi que j'ai envie de danser, Nicole.

– Mais, mon chéri, moi, je suis comme toi : j'ai toujours préféré les jolies filles...

C'était clair et direct. N'ayant plus rien à espérer de Nicole, j'ai invité Brigitte à danser sur une musique suave de Franck Pourcel, intitulée *Les Hanches*. Le genre de slow sur lequel un garçon se devait de séduire sa belle – ou alors il était bon pour les ordres.

Pourtant, nous avons dansé à distance respectable, sous le regard amusé de Nicole. Et en parlant de choses et d'autres. La vie privée des vedettes n'était pas mon pain quotidien, mais il aurait fallu que je sois tombé de la planète Mars pour ignorer que Mlle Brigitte Bardot était fiancée à Sacha Distel. On parlait même d'un éventuel mariage. Et aux dernières nouvelles, Brigitte et Sacha déclaraient qu'ils voulaient trois enfants ensemble. C'est dire si je n'avais d'autre souci que de rester courtois...

La fête terminée, Brigitte m'a proposé de la raccompagner. J'obtempérai sur-le-champ. Elle est montée dans ma 203 décapotable et, durant le trajet, nous n'avons échangé que les banalités d'usage. Puis je me suis garé devant son immeuble, au 71 de l'avenue Paul-Doumer. Brigitte est descendue, nous nous sommes dit au revoir comme deux copains.

Et soudain, au moment où je m'apprêtais à démarrer, je la vis virevolter et revenir sur ses pas. Elle a ouvert la portière du côté passager et s'est penchée vers moi. J'ai cru qu'elle avait oublié quelque chose. Mais, vive comme l'éclair, elle a écrasé sa bouche sur la mienne, me gratifiant d'un gros baiser russe de môme insolente ! Sans un mot, elle a fait volte-face et s'est engouffrée dans le hall de son immeuble, me laissant tout pantois, les deux mains encore sur le volant.

Je devais avoir les yeux en forme de holla-hoop. J'étais troublé, bien sûr – en homme de constitution normale –, mais en même temps un peu perplexe. Je suis resté un moment songeur. S'agissait-il d'une invitation ? Devais-je enfoncer la porte de son appartement ou escalader la paroi jusqu'à son balcon ? Le cocasse de la situation l'a emporté. Je me suis dit que j'avais encore beaucoup à apprendre des mœurs en vigueur dans le cinéma. Là, entre comédiens, on s'embrassait sur la bouche comme ailleurs on se tutoyait. Une sorte de déformation professionnelle qui ne portait pas à mal. Ni à bien.

Et puis c'était officiel : Brigitte était fiancée. Comment donner à ce baiser une signification autre que celle d'une franche camaraderie ?

N'empêche, j'étais plutôt fier de moi, comme un homme qui vient d'être embrassé par un canon de beauté, dont les mensurations me parlaient plus que les initiales.

Nous n'avions pas échangé nos numéros de téléphone ni même promis de nous revoir. Je suis rentré chez moi, rue Le Goff, tout émoustillé à l'idée d'avoir approché le mythe naissant.

Deux jours plus tard, je recevais le scénario d'un film en projet, *Babette s'en va-t-en guerre*, dont le réalisateur devait être Christian-Jaque, et la vedette... Brigitte Bardot.

Celle-ci avait déjà l'assise suffisante pour imposer à ses producteurs le choix de ses partenaires. Elle m'avait vu dans le film de Carné et aussi – à mon insu – au théâtre dans *Le Journal d'Anne Frank*... J'étais « mignon à croquer », disait-elle dans son entourage. À ses yeux, et de façon un peu inconsidérée, j'étais le « nouveau Gérard Philipe ». Moi qui n'ambitionnais que d'être moi-même... Quoi qu'il en soit, Brigitte m'a proposé au producteur Raoul Lévy, au metteur en scène de *Fanfan la Tulipe* ainsi qu'au scénariste Gérard Oury. Tous se félicitaient de me voir devenir le partenaire de la belle Babette dans cette comédie légère.

Je pris connaissance du scénario et le trouvai un peu superficiel. On m'y faisait tenir le rôle d'un jeune militaire plutôt niais, amoureux d'une espionne. Il me semblait qu'il y avait mieux pour un comédien décidé à défendre de grands textes. Même si les dialogues étaient signés de Michel Audiard, qui a prouvé par la suite son indiscutable talent. Je n'étais pas très enthousiaste, mais j'ai pensé qu'avec de grands professionnels réunis autour de Brigitte Bardot, il pouvait en sortir un film charmant et populaire. Et je n'avais rien à perdre en attendant de tourner *Plein Soleil* avec René Clément et Alain Delon...

De toute façon, je n'allais pas faire la fine bouche alors que tant de comédiens avaient du mal à percer et couraient le cacheton. Et j'allais tourner des scènes d'amour avec B.B., ce qui était bien loin d'être un calvaire pour un jeune acteur de vingt-deux ans.

J'ai signé un bon contrat. Et vogue la galère !

*
* *

Quelques jours plus tard, coup de téléphone. C'était elle. Je m'étonnai un peu, car je ne lui avais pas donné mon numéro. Mais elle n'avait pas dû avoir trop de mal à l'obtenir. Elle m'appelait pour me dire à quel point elle était heureuse de mon accord pour *Babette s'en va-t-en guerre.*

– C'est merveilleux, Jacques ! Tu ne peux pas savoir comme je me réjouis de faire ce film avec toi !

Je l'écoutais exulter au téléphone. Je trouvais qu'elle en faisait un peu trop... Mais je savais que le cinéma est une profession où l'on amplifie les sentiments, ne craignant pas non plus de les feindre. Je me disais que cette euphorie devait faire partie du jeu : la vedette avait en quelque sorte la responsabilité de la réussite d'un film, il était normal qu'elle s'inquiète du choix de ses partenaires, et qu'elle les encourage.

Nous avons discuté un long moment du film, de nos projets respectifs, et du métier en général. Comme la conversation touchait à sa fin, Brigitte a proposé que nous nous rencontrions pour fêter notre partenariat. Elle voulait aussi me « demander conseil ».

– Tu sais, Jacques, j'ai plein de choses à te dire.

Naïvement, je m'imaginais qu'elle voulait me parler du tournage et des scènes qui nous attendaient. Pourquoi pas, après tout ? Il pouvait s'avérer utile de faire une lecture conjointe du scénario. Je trouvais que Brigitte manifestait vraiment une grande conscience professionnelle. Et la perspective de travailler avec elle m'était de plus en plus sympathique.

*
* *

Nous avons pris rendez-vous dans un café près de chez elle. Brigitte est charmante dans son tailleur rose fuchsia. J'ai l'impression d'avoir devant moi une petite fille étonnée par la vie. Une petite fille qui sait tout de suite donner un ton intime à notre conversation. Je la connais à peine, et voilà qu'elle me raconte tout de go qu'elle est terriblement malheureuse. Commence alors un déballage incroyable. Elle m'explique que son entourage ne pense qu'à l'exploiter. Que même ses parents ne sont pas gentils avec elle. Qu'elle vit traquée, recluse, dans une atmosphère irrespirable.

– Je suis comme une plante privée d'oxygène, se lamente-t-elle.

Elle me dit qu'elle a vingt-quatre ans, et besoin de sentiments vrais, de gens qui l'aiment pour ce qu'elle est et non pas pour ce qu'elle représente. Elle se met à pleurer devant moi, en séchant délicatement ses larmes dans un petit mouchoir brodé à ses initiales.

Devant ce spectacle incongru, je ne sais pas très bien comment réagir. Au début, tellement sidéré par cet abandon quasi impudique, je me dis qu'elle se moque de moi, qu'elle me joue une scène.

Depuis des années, il ne se passe pas une semaine sans que la presse spécialisée raconte ses aventures, ses amours avec des metteurs en scène, des comédiens, des chanteurs. Et on peut la voir en photo dans les magazines, toujours gracieuse, souriante, donnant au public l'image d'une belle fille épanouie et radieuse. Impossible de passer à côté de la vie, réelle ou fabriquée, de Brigitte Bardot, du moins dans ses grandes lignes. Dans mon esprit, comme dans celui de millions de gens, une femme qui réunit la beauté, le succès, et dont il est notoire qu'elle multiplie les conquêtes tout en gagnant beaucoup d'argent, ne peut être qu'heureuse. Car cette fille fait rêver des milliers d'autres femmes qui aimeraient lui ressembler, et des centaines de milliers d'hommes qui aimeraient bien la lutiner.

Or je suis en présence d'une ingénue éplorée, frustrée, angoissée. Sur le coup, je reste stupéfait. Voilà une comédienne dont tout le monde rêve, que certains commencent même à considérer comme un mythe, et je la vois ruisseler comme une inconsolable fontaine de lamentations !

Je ne suis pas en face de Brigitte Bardot, la star, mais devant une jeune femme qui appelle au secours, qui a besoin d'aide. Plus elle se livre, plus je suis convaincu de sa sincérité, et je finis par la trouver émouvante et attachante. Plus elle se raconte, plus je pense qu'elle n'a vraiment aucune raison de mentir. Brigitte n'a que vingt-quatre ans, mais son expérience lui donne sans doute le privilège d'être plus lucide que moi sur les gens et sur la vie. À vingt-deux ans, je suis un jeune premier qui a encore beaucoup à apprendre.

Et je finis par me dire qu'après tout, cette adorable pleureuse n'a pas de chance, et que le monde n'est qu'un ramassis de conspirateurs ligués contre elle.

Et puis Brigitte flatte mon ego, puisqu'elle m'a choisi comme confident. J'entre dans le secret de la déesse. Car ses déclarations n'ont pas encore été données en pâture à la presse. J'en sais plus que tous les magazines réunis... Je me sens dans la peau d'un détenteur de secret d'État.

Tout à coup, les larmes cessent de couler. Brigitte change de sujet de conversation. Elle sourit, le monde devient beau. Elle me dit qu'elle est allée me voir jouer au théâtre, qu'elle me trouve « merveilleux » et elle me répète sa joie de m'avoir pour partenaire...

De mon côté, je la trouve craquante. Mais depuis mon arrivée à Paris, j'ai connu beaucoup de filles, certaines dont la beauté rivalisait aisément avec la sienne. Je ne suis pas blasé, loin s'en faut, mais je ne suis pas en situation de « chasse ». J'ai une vie sentimentale bien remplie, et à aucun moment ne me vient l'idée de séduire Brigitte. Le pathétique n'a jamais été ma tasse de thé. Et puis je trouve qu'elle forme un couple sympa avec Sacha. Ce qui me laisse tout le loisir de m'apitoyer sur son sort...

À la fin de notre entretien, je suis sincèrement bouleversé par son émotion. Qui à ma place n'aurait pas envie de la prendre dans ses bras, de la consoler ? Qui n'aurait pas envie de la protéger, de l'assurer que désormais ses malheurs sont terminés ? Mais j'évite de m'engager sur ce terrain miné.

Je la raccompagne au bas de son immeuble. On se fait la bise comme deux copains. En rentrant chez moi, je ne peux m'empêcher de repenser à ses confidences. Entre deux embrayages, je philosophe sur l'ironie de la vie : comment cette actrice adulée peut-elle se sentir aussi seule et perdue, alors qu'elle est entourée par des milliers, des millions de gens ?

Je me rends compte aussi que, curieusement, à aucun moment Brigitte n'a abordé la question des rôles du film que nous allions bientôt tourner. Elle n'a parlé que d'elle, de ses problèmes, de sa solitude, de sa détresse...

Je réintègre la rue Le Goff en me disant que j'ai rencontré une bien étrange mais séduisante créature.

Ma petite amie du moment – une violoniste qui sait admirablement faire vibrer mes cordes sensibles – m'attend. Elle rayonne de joie de vivre, j'oublie le moment d'accablement dont je viens d'être le témoin malgré moi. Après avoir composé avec ma dulcinée une nouvelle partition à quatre mains et soupirs, je pose sur mon tourne-disque le dernier 45 tours de Léo, qui chante *L'été s'en fout* « de cet automne adolescent / comme une fille de quinze ans / se défeuillant jusqu'au bout / pour faire une litière au loup ».

Je ne suis pas un loup, mais un agneau bien tranquille, endormi dans les bras de sa bergère. Et qui se demande encore si, côté Brigitte, c'est du lard ou du cochon...

Dès ce soir-là, Brigitte va me téléphoner régulièrement. Presque tous les jours. On se revoit de temps à autre, toujours dans le même bistrot. À chaque rendez-vous, j'assiste au même numéro : elle est malheureuse comme les pierres, tout le monde l'utilise, elle ne peut faire confiance à personne. Elle me raconte par le menu toutes les vexations qu'elle doit subir, alterne les moments d'exaltation pour le film et ceux de grande déprime face à l'hypocrisie du cinéma et de la vie de star.

– Je suis une machine à faire de l'argent, Jacques.

Je ne comprends pas bien ce qu'elle entend par là. Qu'elle gagne beaucoup d'argent me paraît dans l'ordre des choses, puisqu'elle est une vedette. Elle m'explique qu'elle a besoin d'avoir auprès d'elle un être vrai, pur, sans arrière-pensées. Et moi, l'oreille amie, je l'écoute. Qu'aurais-je pu faire d'autre ? Je compatis, en me disant qu'il est bien difficile d'être une célébrité. Je ne suis pas impliqué dans sa vie privée, mais je ne doute pas que son désarroi de « petite fille riche » soit réel.

Toutefois, une inquiétude commence à m'envahir. Je pense au tournage de *Babette* qui va bientôt commencer, et je me dis qu'il va être gai si Brigitte passe ses journées à gémir... J'ai signé pour tourner un film, pas pour être le psy de ma star de partenaire !

*
* *

Début 1959, premier coup de manivelle de *Babette s'en va-t-en guerre*. À la radio, on entend Yves Montand chanter *Le Chat de la voisine* : « Miaou, miaou, il est touchant le chant du chat / Ron-ron, ron-ron, et vive le chat et vive le chat. » Le malicieux Brassens interprète *La Femme d'Hector*, qui peut lui confier son chat à toute heure. Si la vie de Brigitte est morose, la chanson française ne l'est pas...

À l'instar de ce film un peu loufoque, qui ne se prend pas au sérieux, je dois défendre le personnage d'un sous-lieutenant charmant mais un peu fade. Je travaille mon rôle avec sérieux, ayant rapidement compris que je suis le faire-valoir de B.B. Mais je n'en prends pas ombrage. C'est le jeu, et je ne suis pas mécontent de tourner.

Sur le plateau, je me montre d'une grande courtoisie à l'égard de Brigitte. La distance que j'ai manifestée lors de notre première rencontre a fait place à une réelle sympathie. J'ai craint que le tournage ne vire à l'enfer, or je passe d'agréables moments avec une équipe détendue, dans une ambiance de travail conviviale. Au fil des jours, je trouve Brigitte de plus en plus délicieuse. Je ne vois plus une victime mais une femme superbe, fière de sa beauté, qui rayonne dès que la caméra se met en marche. Elle se montre mutine, gaie, insouciante, bref la partenaire idéale. Pourtant, je ne songe toujours pas à ne serait-ce qu'un début d'histoire d'amour entre nous. Non que je la sublime et la considère inaccessible, mais, conscient de sa fragilité, je ne veux pas aller au-devant de complications. En outre, je pense que Brigitte Bardot a largement les moyens de s'intéresser à des hommes plus mûrs, intelligents, cultivés et riches que moi.

Souvent, il arrive que des personnes de son staff, comme sa maquilleuse, viennent recueillir mes impressions sur elle. Invariablement, je réponds que je la trouve sympathique et pleine de charme. Et il n'est pas rare que le lendemain, la maquilleuse me confie, insistante, que Brigitte « elle aussi » me trouve « très sympa ». Je me dis une fois de plus que c'est une habitude du métier : on a besoin de se rassurer, alors il vaut mieux se faire des compliments que des vacheries, même par personne interposée.

Pendant que l'entourage de B.B. me fait ces appels du pied, je n'ai d'yeux que pour la vraie vedette du film, une autre initiale B. : Francis Blanche. Je le connais pour l'avoir entendu à la radio dans *Signé Furax*. Et je l'ai vu dans des spectacles hautement intellectuels comme *Chipolata, saucisson show*, où, avec Pierre Dac, Pauline Carton et Jean Carmet, il me faisait mourir de rire.

Babette s'en va-t-en guerre relevait, à sa manière, d'une certaine audace, puisqu'il mettait en scène des situations burlesques pendant la dernière guerre, période encore douloureuse et pas si lointaine pour le public. Blanche jouait « Papa Schultz », responsable de la Gestapo de Paris, avec un accent allemand à couper au couteau. Son personnage délirant n'avait qu'une seule idée fixe, fusiller tout ce qui bougeait. En particulier la douce Babette, l'héroïne de la Résistance – et du film par la même occasion. Papa Schultz voulait la passer par les armes, et Babette refusait en gémissant.

– Ach, vous êtes bien toutes les mêmes ! râlait l'officier nazi. Votre manque d'héroïsme me déçoit !

Je ne quittais pas Francis d'une semelle. Il était époustouflant : un gag à la minute ! J'ai rarement autant ri. Et quel amour des mots ! Nous parlions souvent de Charles Trenet, pour lequel il avait écrit des textes. Un soir, nous sommes allés ensemble écouter le fou chantant dans une salle près de l'Opéra. Francis était également un passionné de poésie : il était capable d'écrire les alexandrins les plus classiques comme il inventait les jeux de mots les plus échevelés. Un soir, nous dînions avec le gratin, puisqu'il y avait là quelques énarques et même un ministre à notre table. À la fin de nos agapes, nous avons insisté pour écouter un poème de son cru. Il s'est levé, et, très solennel, nous a annoncé en préambule qu'il était un grand défenseur des formes libres en poésie. Au diable les rimes parfaites, la versification moderne devait rompre avec la monotonie académique. Pour illustrer son propos, il nous invita au silence pour nous dire un court poème, ce qui fit le bonheur de l'assemblée. Le plus sérieusement du monde, tel un tragédien récitant du Corneille, Francis Blanche déclama :

Dans la mare aux grenouilles
J'avais de l'eau jusqu'au cou.

Soudain, il y a eu deux camps dans la salle : les culs pincés et les gorges déployées !

Une véritable camaraderie naissait entre Francis et moi. Je le trouvais génial, et lui me trouvait bon public. Je vouais une admiration sans borne à ce personnage, cultivé, épicurien, grand amateur de cuisine et de jolies femmes. J'avais eu l'occasion de le voir à l'œuvre lors de quelques virées nocturnes.

Brigitte, elle, paraissait agacée par la complicité qui me liait à Francis. Elle se sentait éclipsée :

– Je ne vois vraiment pas ce que tu lui trouves, à ce petit gros ! Tu fais comme si je n'existais pas !

*
* *

Brigitte eut sa revanche. Lorsqu'il fallut tourner les scènes d'amour, je la préférai nettement à Francis Blanche. Ces scènes ont beaucoup contribué à nous rapprocher, dans tous les sens du terme.

Pour les besoins du rôle, je la prenais dans mes bras. Toujours pour les besoins du rôle, je l'embrassais. De son côté, je dois avouer qu'elle faisait preuve d'un grand professionnalisme : moi-même je ne distinguais plus très bien la fiction de la réalité. Elle se montrait très câline, je commençais à y prendre goût. Où était la limite, dans son jeu, entre le désir de crédibilité du personnage, et son désir de femme ? Plus nous tournions, plus je sentais Brigitte émouvante, en demande d'affection.

Pourtant, je n'oubliais pas que, chaque soir, elle rentrait retrouver son fiancé avenue Paul-Doumer. Cette idée suffisait à m'ôter toute envie de provoquer une relation plus intime.

Mais quel homme dans ma situation aurait résisté à la tentation ? Qu'il se nomme !

Lorsque la femme considérée comme la plus sexy du monde vous allume, il faudrait être un pur esprit ou un saint pour ne pas succomber. Je n'étais pas différent des autres : je n'étais qu'un homme, et surtout pas une statue de marbre.

Un soir, elle m'a demandé de la raccompagner chez elle. Elle ne l'avait jamais fait auparavant sur le tournage de *Babette*. D'ordinaire, son staff s'occupait de la reconduire. Mais ce soir-là, il n'était pas libre, elle me demanda donc de lui rendre ce service.

Nous tournions alors aux studios de Saint-Maurice, derrière le Bois de Vincennes, et elle habitait dans le XVIe arrondissement. Ce n'était pas la porte à côté ! En chemin, elle a proposé d'aller boire un verre à *La Bûcherie*, un restaurant sur les quais en face de Notre-Dame. L'endroit était cosy, chaleureux, d'autant que nous étions seuls tous les deux dans un petit salon où le feu crépitait dans la cheminée. Atmosphère romantique à souhait. Et Brigitte si troublante... Elle me disait qu'elle avait besoin d'un prince Charmant. Et je m'entendais répondre que j'acceptais de jouer ce rôle, d'être celui qu'elle attendait depuis toujours, son rêve, son idéal. C'était intime et excitant. Nous étions bien au chaud, dans un cocon coupé du monde extérieur. Adieu Babette et son fringant lieutenant, nous étions deux jeunes gens qui se plaisaient et avaient envie de se le prouver. Je pensais à cette phrase de Giono : « Une femme a posé sa tête sur l'épaule de son compagnon. Il n'y a plus aucun mensonge entre eux deux. Il n'y a plus qu'une très tendre vérité, aussi solide que la cimentation de toutes les étoiles dans la nuit. »

Nous nous sommes embrassés longuement. J'éprouvais un étonnant sentiment de plénitude. Si le bonheur existait avec une femme, il devait ressembler à cet instant magique entre deux êtres réunis par le hasard...

Soudain, Brigitte m'a suggéré de monter dans une chambre.

– Nous y serons mieux, me dit-elle, engageante.

Elle devait avoir réservé la chambre, je sentais le coup monté. Mais au diable mes suspicions : ma capacité de résistance avait ses limites et elles venaient d'être franchies allègrement. Tous les hommes de France et de Navarre auraient vendu leur âme pour être à ma place à ce moment précis. Fini les scrupules et les états d'âme ! J'étais prêt à vivre cette aventure... jusqu'au bout de la nuit.

Nous sommes montés et, pressés, nous nous sommes jetés l'un contre l'autre. Brigitte n'était pas seulement belle : c'était une lionne, une liane, un tourbillon. Que dire, sinon que ces heures avec elle ont surpassé mes désirs les plus forts ?

De retour chez moi, je gardai en tête son image, nue et alanguie sur le lit. Je humais son parfum, je m'abreuvais de ses éclats de rire. Elle était merveilleusement douce, insouciante et gaie.

Le lendemain matin, en prenant mon café, je feuilletais un magazine lorsque je suis tombé sur une interview de l'acteur Stephen Boyd, le partenaire de Brigitte dans le film *Les Bijoutiers du clair de lune.* « Tourner des scènes d'amour avec Bardot a été pour moi un vrai cauchemar. » Comment ? Alors que, chaque jour, je l'étreignais sur le plateau de *Babette,* alors que je venais de faire l'amour avec elle ? Je ne pus m'empêcher de laisser échapper :

– Non, mais ce Boyd, il est nul !

À partir de ce jour, nous nous sommes retrouvés régulièrement à *La Bûcherie.* Parfois, nous allions chez moi, rue Le Goff. Je n'avais pas du tout l'intention de prendre la place de quiconque, mais l'occasion, l'herbe tendre, la douceur de sa peau, son sourire mutin... Encore une fois, je n'étais pas un surhomme, et je n'avais pas fait vœu de chasteté. J'avais la chance d'écrire de superbes pages d'amour avec une créature de rêve. Bien sûr, je savais que j'étais tombé dans le piège d'un petit don Juan en jupons, mais je m'y laissais prendre avec délices... La vie s'écoulait toute simple, et jamais, à cette époque-là, nous n'avons évoqué une possible relation suivie. Nous étions bien ensemble, nous vivions ce plaisir au jour le jour sans nous poser la moindre question sur l'avenir.

Une histoire d'amour comme tant d'autres, en somme : un homme et une femme se rencontrent, s'attirent, et conjuguent ensemble le verbe aimer. Depuis que nous nous fréquentions, Brigitte semblait heureuse. Elle voyait la vie en rose, oubliant du même coup de pester contre l'humanité. Je ne lui posais aucune question sur son passé – j'en savais déjà bien assez –, et elle n'exigeait rien de moi en retour. Nous coulions des jours de feu, et c'était bien là l'essentiel.

*

* *

Le printemps arriva. Le tournage de *Babette* se poursuivait, dans le meilleur des mondes. Après Paris, nous étions partis filmer quelques scènes en province et à l'étranger, à Sète et à Londres notamment. Et plus le temps passait, plus nous étions amoureux l'un de l'autre.

Je cessais de voir mes copains, je ne sortais plus le soir. Cette proximité sur le tournage de *Babette* renforçait nos liens. Notre idylle sans lendemain s'est transformée à notre insu en une belle histoire d'amour. Quelques paparazzi réussirent à nous photographier main dans la main. Dans la presse, des articles commençaient à faire allusion à une nouvelle romance de Brigitte Bardot. Mais, la sachant surveillée de près, nous veillions à nous montrer aussi discrets que possible.

De mon côté, je n'avais aucun intérêt à ce que notre liaison éclate au grand jour. Les reportages sur moi, je voulais les trouver dans la rubrique théâtrale ou cinématographique, certainement pas dans les colonnes des journaux à scandales. En outre, contrairement à ce que certains ont pu laisser entendre par la suite, je n'avais nul besoin d'une telle publicité : ma carrière se déroulait sous les meilleurs auspices.

J'étais bien conscient qu'un tapage médiatique n'était pas de nature à me promouvoir. Et puis je savais, en partie grâce aux nombreuses conversations que j'avais avec Brigitte à ce sujet, que ce genre de notoriété nuit considérablement aux possibilités de bonheur de qui ne sait pas se protéger. Je me souvenais d'avoir lu dans un livre de Jacques Prévert cette phrase (faussement) attribuée à Mme de Staël : « La gloire n'est que le deuil éclatant du bonheur. » Brigitte n'était-elle pas l'illustration parfaite de cette formule ? La recette qui s'imposait à moi était plutôt du style : « Pour vivre heureux, vivons cachés ! »

C'était sans doute un rêve d'enfant. Et ce qui devait arriver arriva : un beau jour, notre liaison devint publique. Des photos volées au téléobjectif s'étalaient à la une d'un magazine qui titrait : « Le nouvel amour de B.B. » L'article avait même une longueur d'avance sur mes propres informations : on y apprenait que le mariage prévu avec Sacha avait tourné court, parce que, déclarait Brigitte, « Sacha n'est jamais là, toujours parti en tournée à travers la France ».

Comme moi, elle parut un peu paniquée de voir évoquer sa dernière aventure dans la presse. Officiellement, elle n'était toujours pas séparée de Sacha. Je lui ai alors suggéré la solution qui me semblait la plus raisonnable : mettre un terme à notre relation dès la fin du tournage, pour faire taire les rumeurs et éviter de lui créer des ennuis.

Mais soudain, Brigitte a fondu en larmes. Entre deux sanglots, elle m'avoua :

– Jacques ! Tu n'as donc pas compris que je t'aime ? Pour moi, tu n'es pas une passade parmi d'autres, une histoire sans lendemain. Tu es l'homme de ma vie !

Le ciel m'est tombé sur la tête ! J'en suis resté totalement abasourdi. Voilà que tout à coup notre amourette tournait à Tristan et Yseult ! Et je n'avais rien fait pour ça. B.B. était convoitée par tous les hommes, elle pouvait tous les conquérir, et j'étais l'élu de son cœur ! C'était inouï !

Mais je n'avais pas trop à me forcer pour accepter cet aveu. J'étais moi-même fou d'amour...

*
* *

Nous avons donc continué à nous voir, mais le plus discrètement possible, dans de petits hôtels, chez un copain, ou chez moi, en rusant pour tromper la vigilance des paparazzi.

Un jour, Brigitte réussit à me convaincre de monter dans son appartement, qu'elle appelait « la Paul Doumer », comme on aurait dit « la Castafiore » ou « la du Barry ». Elle habitait au septième étage d'un immeuble cossu, à deux pas du Trocadéro. Elle me fit d'abord visiter les lieux : en commençant par une petite cuisine que Brigitte trouvait « rigolote », adjectif qu'elle utilisait souvent, et qui semblait être le critère déterminant de l'intérêt qu'elle portait aussi bien aux objets qu'aux individus. Lorsqu'une robe dans une vitrine était déclarée rigolote, elle lui plaisait à coup sûr, et un type « rigolo » était un mâle tout à fait fréquentable. Aux fenêtres, elle avait accroché des rideaux rigolos à petits carreaux : on se serait cru dans un pot de confiture. L'appartement donnait sur un balcon très rigolo de dix mètres carrés qu'elle appelait sa terrasse. Car elle savait aussi être une sacrée rigolote à ses heures.

La visite terminée, elle me parla de Sacha, parti en tournée pour présenter au public son tube *Des pommes, des poires et des scoubidous*. Brigitte était visiblement agacée de son succès. Elle ne décolérait pas après lui, affirmant que c'était elle qui « l'avait fait ». Pour le coup, elle ne trouvait pas ça « rigolo » du tout. De mon côté, je n'avais évidemment rien contre Sacha Distel que je ne connaissais qu'à travers ses chansons et son talent de guitariste de jazz. Mais ma conscience, désormais, avait le feu vert. Avec un temps de retard, je me sentais soulagé. Enfin !

À plusieurs reprises, ce soir-là, j'eus droit à ses récriminations contre tous ses ex-fiancés. À vrai dire, ces considérations commençaient à me lasser.

Mais Brigitte, qui savait y faire, changea brutalement de registre, se mit à minauder et se montra sous un jour plus désirable. La femme vindicative se métamorphosa en chatte ronronnante. Un petit dîner aux chandelles des plus romantiques était dressé : le champagne millésimé était prêt dans le seau à glace, le pick-up diffusait de la musique douce, le caviar attendait au frais, et le bois craquait dans l'âtre. Après le dîner, nous avons trouvé refuge dans sa chambre pour écrire un duo dont nous étions seuls à connaître les gammes.

Au petit matin, nous étions apaisés, somnolents de plaisir dans les bras l'un de l'autre.

Soudain, un coup de sonnette retentit. Brigitte se lève et court jusqu'à la porte d'entrée.

– Qui est là ?

J'entends une voix d'homme qui lui répond promptement :

– Brigitte, c'est moi, ouvre !

Je commence à m'agiter un peu, mais Brigitte, un doigt posé sur la bouche, me fait signe de ne pas faire de bruit....

Je n'avais plus qu'à me cacher dans l'armoire ou sous le lit, et la scène de vaudeville pouvait commencer !

Brigitte a rapporté dans son livre sa version de la pièce. À l'en croire, elle aurait fermé tous les verrous pendant que Sacha tambourinait à la porte. Et moi j'aurais insisté pour qu'elle ouvre, afin d'en finir et de régler l'affaire « entre hommes », c'est-à-dire à coups de poing. Pour éviter le bain de sang, elle aurait alors jeté la clé de la porte par la fenêtre, les deux amants se trouvant ainsi réduits à s'insulter à travers le battant, dans un tohu-bohu à réveiller tout l'immeuble...

C'eût été sans doute un dernier acte assez cocasse. En fait, tout s'est déroulé beaucoup plus simplement, n'en déplaise au lecteur friand de théâtre de boulevard.

Brigitte a refusé d'ouvrir. Sacha avait bien senti le vent qui tournait. Il a lancé à travers la porte :

– C'est bon. J'ai compris. Je te dis adieu !

Et nous avons entendu ses pas s'éloigner dans les escaliers...

Ah, bien sûr, cette version est moins romantique, moins dramatique que l'histoire de cette princesse enfermée dans son donjon, et que se disputent les deux preux chevaliers. Mais elle a le mérite de la vérité. Sacha ne souhaitait pas d'esclandre. Et je n'avais pas envie de me battre avec lui, ni avec personne d'autre d'ailleurs. D'abord parce que je ne suis pas violent de nature. Ensuite parce que je me sentais plutôt mal à l'aise. Si une porte dérobée s'était présentée, je l'aurais ouverte pour filer sans idée de retour... Je pensais qu'au fond j'avais eu tort d'accepter de venir à « la Paul Doumer » : je courais au conflit, vu les circonstances. Sacha jouissait effectivement d'un droit de priorité, puisque – je l'ai appris plus tard –, contrairement à ce qu'avait prétendu Brigitte, ils continuaient de se voir.

Elle m'avait menti, tout comme elle ment lorsqu'elle raconte cette scène.

Mensonge assez minime, dira-t-on. Simple exagération de romancière, pas de quoi fouetter un chat... Peut-être. Encore que cette volonté de me présenter comme un impulsif prêt au coup de poing ne soit pas innocente pour la suite des événements...

Pis encore, cette déformation et cette amplification d'un épisode somme toute assez anodin sont bien révélatrices de ce que j'appelle le « système Bardot », et que d'autres prennent pour un volet du « mythe Bardot ».

*
* *

Trois jours plus tard, j'écarquillais les yeux devant les gros titres qui faisaient les manchettes d'une certaine presse : « Les amants diaboliques », « B.B. : la trahison », « Bafoué » ! Les journaux relataient l'« événement ». Ou plutôt leur version de l'événement. En fait, ils inventaient sans vergogne un pugilat général sur fond de dramaturgie qui ressemblait fort à l'histoire que devait reprendre et « officialiser » Brigitte par la suite...

On écrivait même qu'elle me préférait à Sacha. J'étais dans de beaux draps ! Aux yeux du public, je passais pour l'affreux qui avait volé le cœur de la fiancée de Sacha Distel. Alors que je m'imaginais dans une pièce de Courteline, je sombrais dans une tragédie racinienne.

J'étais tellement sous le choc que je m'interrogeais à peine sur les sources d'information de ces journaux. Qui avait bien pu les renseigner, et surtout, au mépris de la vérité ? A priori, seuls Sacha, Brigitte et moi étions au courant de la scène...

J'avais sans doute sous-estimé la notoriété de Brigitte et la rapacité des paparazzi. Je pensais naïvement qu'il nous suffisait d'être prudents pour nous protéger des commérages. Et je découvrais que, malgré nos précautions, la presse était informée de nos moindres faits et gestes. Pire, elle se permettait de travestir la réalité !

Je ne me doutais pas que le retentissement provoqué par les révélations sur notre vie privée allait rapidement prendre le pas sur nos carrières, et que nous allions glisser peu à peu de la rubrique « cinéma » à celle plus racoleuse du scandale. Et même, pour satisfaire la curiosité du public, on ne tarderait pas à donner dans le sulfureux...

Quelques jours après cet incident, le communiqué que le secrétaire de Brigitte confia à la presse vint confirmer une information déjà connue : le nouveau fiancé de Brigitte Bardot s'appelait Jacques Charrier.

Pour un acteur soucieux de tranquillité, j'étais servi ! Dans mon mirage, j'avais fini par oublier que Brigitte n'était pas seulement une jeune fille qui me faisait des confidences en versant une larme dans un café parisien. Elle était B.B., la star, la femme créée par Dieu...

Et je ne mesurais pas encore à quel point la discrétion était incompatible avec le « métier » public.

À cette époque, aucune barrière n'existait ! La presse pouvait parler en toute impunité de la vie privée des stars, révéler leurs amours, leurs turpitudes réelles ou inventées. Et si l'idée saugrenue venait à l'une d'entre elles d'attaquer un journal en justice, elle s'exposait à une procédure longue et coûteuse. Dans le meilleur des cas, le plaignant pouvait s'estimer satisfait s'il recevait le franc symbolique... Ce simulacre de sanction suffisait à dissuader les plus téméraires.

Mieux valait donc se résigner. On prétendait même que cette tolérance faisait partie du jeu : le revers de la médaille, en somme. Ce laisser-dire pour la promotion était devenu une pratique courante aux États-Unis. En bien ou en mal, l'essentiel était de faire parler de l'artiste, la célébrité se mesurant au nombre des articles et non à leur qualité. Certains même utilisaient délibérément – et l'usage s'est depuis généralisé... – ce style de presse pour entretenir leur notoriété. Quitte à jouer ensuite les stars indignées... En ce temps-là, la loi faisait preuve d'une grande indulgence à l'égard des paparazzi.

De toute façon, la nécessité commerciale imposait d'associer de plus en plus souvent vie publique et vie privée. Les étoiles ne devaient plus être inaccessibles mais briller comme de simples intermédiaires entre le divin et le mortel. Les demi-déesses de la Grèce antique. Elles pouvaient, à l'instar des autres femmes, se marier, avoir des enfants, voire des amants...

La star, et Brigitte en particulier, participe désormais à la vie quotidienne des gens « simples ». Le développement de la télévision va contribuer à son entrée dans chaque foyer. À partir de la fin des années cinquante, le public peut la voir chez elle, avec un joli tablier, préparer la pâte à crêpes ou les œufs au plat, câliner sa fille, son fils, ou descendre promener son chien. Elle devient une bonne amie. Ses admirateurs la tutoient d'emblée dans la rue ou au restaurant, convaincus que cette familiarité leur est permise.

Beaucoup de célébrités, d'ailleurs, monnayent très cher des exclusivités sur leur intimité. Car, compte tenu des records de vente de certains hebdomadaires, il semble que le lecteur soit friand de tels reportages.

On apprend aussi que, comme n'importe quelle femme, les stars féminines peuvent être malheureuses. Cette proximité ne fait que solidifier le culte qui leur est voué. Le tour de force de Brigitte ? Avoir su se faire aimer tout en se faisant plaindre : je souffre donc je suis, j'ai envie de me suicider comme vous, cher public. Cette « humanité » la rend plus authentique. Habileté suprême, subtil artifice : on croit connaître Brigitte intimement, on la croit « sur parole » uniquement parce qu'elle donne l'impression de ne rien cacher de sa vie privée. Et l'on finit par oublier que l'acte autobiographique masque mal chez son auteur une volonté de justification...

En cette fin des années cinquante, la célébrité d'une star s'accommode fort bien d'un parfum de scandale. Une actrice surprise par son fiancé au lit avec un amant ? Autrefois, il en fallait moins pour briser une carrière. Mais les mœurs ont évolué, les règles ont changé. Fini les héroïnes vierges, les rosières de village ou les épouses modèles de vertu ! Il fut un temps où le séducteur cynique et la fille facile étaient condamnés d'avance par la morale publique. Désormais, sous l'influence américaine, et notamment celle de Marilyn Monroe, on assiste à une érotisation généralisée.

La littérature lève la censure sur les romans « obscènes » d'Henry Miller. Au cinéma, l'érotisme devient un ingrédient de marketing indispensable au succès d'un film. Le spectateur n'admire plus seulement le regard ou les jambes, mais l'ensemble du corps, le visage, les lèvres, la cambrure des reins ou la « renaissance mammaire » (Gina Lollobrigida, Sophia Loren, Martine Carol, Mae West). Les réalisateurs multiplient les baignades, les strip-teases, les habillages et déshabillages, les bas qu'on enlève et les vêtements qui tombent au sol comme la robe dans *Sanguine* de Jacques Prévert. Et Brigitte était bien consciente qu'elle était davantage connue pour sa beauté plastique qu'elle dévoilait dans ses films que pour son jeu d'actrice.

La promotion de ses films avait l'odeur du soufre : « Brigitte Bardot, la femme qui vous fera tromper la vôtre. » Et les titres des journaux s'étalaient : « Bardot la scandaleuse », « Provocante B.B. » On la disait « belle comme un ange », « comme une déesse », « une bombe dans une bonbonnière », « un printemps parisien frémissant », mais aussi « un merveilleux animal », « vrai démon ». Les Témoins de Jéhovah la condamnaient à la « damnation éternelle ». À Oxford, le directeur d'un fameux collège interdisait l'affichage de ses photos dans les chambres des élèves « pour qu'ils ne finissent pas en prison comme obsédés sexuels ».

Les nouvelles stars s'annonçaient toutes coulées dans le même moule : des gamines perverses, qui devaient avoir l'apparence de l'innocence tout en donnant à supposer qu'elles étaient les pires garces. « La gloire de Brigitte Bardot, a écrit Edgar Morin[1], vient de ce qu'elle était en puissance la plus sexy des vedettes bébé, le plus bébé des vedettes sexy. En effet son visage de petite chatte est ouvert à la fois sur l'enfance et la félinité : sa chevelure longue et tombante par-derrière est le symbole même du déshabillé lascif, de la nudité offerte. Son nez minuscule et mutin accentue à la fois la gaminerie et l'animalité ; la lèvre inférieure très charnue fait une moue de bébé, mais est aussi une invitation au baiser. Une petite fossette au menton complète dans le sens de la gaminerie charmante ce visage qu'on calomnie en disant qu'il n'a qu'une seule expression ; il en a deux : l'érotisme et l'enfantillage. Le cinéma s'en servit exactement comme il convenait : un petit personnage aux frontières de l'enfance, du viol, de la “nymphomanie”. »

En fait, Brigitte avait fait scandale dès ses débuts au cinéma – elle n'avait que dix-huit

1. Edgar Morin, *Les Stars*, éditions du Seuil, 1972.

ans, alors que la majorité légale était encore à vingt et un ans. Dans son deuxième film, *Manina, la fille sans voile*, de Willy Rozier, elle n'apparaissait pas encore dénudée, mais les affiches la représentèrent entièrement nue, au grand dam des bien-pensants. Ce fut le prétexte au premier procès intenté par ceux qui étaient en charge de sa carrière. Le résultat était prévisible : l'« affaire » ne servit qu'à assurer la publicité du film... Du coup, les producteurs se mirent à entretenir auprès du public cette image efficace sur le plan commercial de « B.B. la scandaleuse », tout en soulignant sa fraîcheur de femme-enfant. L'ensemble était managé comme une entreprise événementielle.

En 1959, Brigitte ne mesure pas encore tout à fait son pouvoir d'attraction sur la société française. Non seulement sur les mères de famille élevées à la dure, mais surtout sur les jeunes filles d'alors qui envient son indépendance. Elle faisait rêver bon nombre de femmes qui menaient une vie monotone entre l'aspirateur, la lessive, les enfants, les courses et la cuisine.

À l'époque, les jeunes filles de dix-huit ans n'avaient pas encore quitté leurs parents. Quant à changer d'amant chaque semaine, il n'en était pas question. Celles qui osaient vivre ainsi étaient des marginales, le plus souvent des actrices ou des chanteuses. Mais elles n'avaient pas la notoriété de B.B. et l'intimité de leur vie privée ne défrayait pas la chronique. Brigitte, elle, était un modèle sur papier glacé...

Les hommes, dans cette aventure, ne sont pas en reste. Eux qui supportent la mauvaise humeur, les bigoudis et les migraines de leur épouse, coincés entre le chef de bureau tatillon la semaine et les beaux-parents le week-end, rêvent d'avoir Bardot au dodo.

Ces fantasmes sont bien sûr relayés par les récits des magazines qui mettent en avant la liberté des mœurs de Brigitte et une manière de vivre qui annonce la prochaine libération de la femme. Déjà, son libertinage choque ou enchante. Mais il ne laisse personne indifférent. « C'est Dieu qui a créé Brigitte Bardot, écrit Gilbert Cesbron. On entrevoit en elle, à travers ses caprices et son matérialisme, une recherche de l'absolu digne d'inquiéter ceux qui bâtissent sur elle des plans trop longs. C'est le mythe de l'érotisme sans perversion, de la glorification des instincts, de la nudité insolente et intégrale. » Une sainte, en quelque sorte, au paradis d'Éros.

Brigitte était ainsi récupérée par un certain nombre de journalistes et même d'intellectuels qui la présentaient comme le symbole de la femme libre. Une conjonction de facteurs a contribué en effet à l'ériger en véritable phénomène sociologique. Elle arrivait à ce moment clé où commençaient à se manifester les revendications féminines. Sa nudité sans complexe crevant les écrans, son mariage précoce, ses amants successifs, son franc-parler, et sa désinvolture auprès des médias : tout concourait à faire d'elle l'initiatrice d'un combat qui lui était totalement étranger, et dont pourtant elle devint l'égérie malgré elle.

Car Brigitte n'avait rien d'une militante. Elle vivait selon ses propres règles, et non pas au nom d'une idéologie féministe. Star devant l'Éternel, elle en portait tous les stigmates bien connus : caprices, déprime, euphorie, suicide...

Très tôt, elle a compris que le personnage qu'elle jouait à la ville était plus important que le personnage qu'elle jouait au cinéma. Elle-même avouait ne pas s'aimer beaucoup en tant qu'actrice. Lucide, elle savait qu'elle ne serait jamais une grande comédienne. Mais elle restait avant tout soucieuse de son image. Son vrai talent était d'alimenter le fantasme collectif. Un rôle qu'elle préférait entre tous.

Son entourage – secrétaire, agent, producteurs, doublure, famille – devinait lui aussi que sa carrière se construisait non seulement sur sa beauté, mais aussi sur son impudeur. En ce sens, *Et Dieu créa la femme* en 1956 a marqué un tournant. Subitement, elle est apparue dans la peau d'une jeune fille libérée, unique en son genre, tenant un discours de femme-enfant, avec cette voix de chanteuse de saloon comme on en voit dans les films de Tex Avery. Pour la première fois, une star française dégageait une sensualité agressive et animale, à l'opposé des jeunes premières qui l'avaient précédée, à la sensualité passive et discrète.

Brigitte assumait. Jeune, issue d'une famille bourgeoise, elle avait vu son destin basculer vers le cinéma. Elle a décidé un beau jour de ne pas avoir honte de multiplier les aventures amoureuses et de ne pas s'en cacher. Ainsi, elle a senti que la prétendue « rixe » de l'avenue Paul-Doumer ne la desservirait pas, bien au contraire.

Elle a toujours été douée d'un instinct exceptionnel qui lui fait comprendre en un éclair quel est son intérêt et lui dicte le meilleur moyen de le défendre. On a beaucoup raconté qu'elle ne brillait pas par son intelligence, sous prétexte qu'elle n'est pas une intellectuelle. Mais elle possède cette acuité des félins, ce sixième sens qui lui permet de gérer au mieux sa vie et sa carrière, dont elle perçoit très vite le lien intime et nécessaire.

Elle a su jouer à merveille de cette ambiguïté : d'un côté, elle utilisait les médias, et de l'autre elle tenait un discours agacé sur cette presse qui la vampirisait. Je dois lui attribuer en ce domaine un prix d'excellence pour cet exercice périlleux. J'ai rarement rencontré une telle maestria et une telle constance dans la manipulation.

Notre relation officialisée, la presse n'a pas hésité à faire ses choux gras des épisodes de notre vie quotidienne.

À plusieurs reprises, j'ai constaté que des incidents mineurs, connus uniquement de Brigitte et de moi, étaient relatés dans certains journaux. Puisque les fuites n'étaient pas de mon fait, j'en ai tiré la seule conclusion possible : Brigitte elle-même alimentait régulièrement la presse en fonction de ses besoins.

Évidemment, j'avais de quoi m'interroger : elle me répétait ne plus supporter le harcèlement des paparazzi, et, dès que j'avais le dos tourné, elle communiquait avec les journalistes, histoire d'entretenir son image !

Il fallait se rendre à l'évidence. À qui l'exploitation médiatique de l'incident de l'avenue Paul-Doumer pouvait-elle servir, sinon à Brigitte Bardot ? Elle avait subtilement utilisé la presse pour évincer son fiancé. L'annonce publique de notre liaison rendait l'autre caduque... N'avait-elle pas agi de la même manière avec ses précédentes conquêtes ?

Plus tard, mes doutes allaient se confirmer. J'appris qu'elle était dans les meilleurs termes avec un bon nombre de patrons de presse, qui lui servaient bien la soupe, lui consacrant des couvertures et des articles élogieux. N'avait-elle pas choisi Pierre Lazareff, alors directeur de *Elle*, *France-Soir*, *France-Dimanche*, comme parrain de notre fils ? Quand je lui fis part de mon étonnement, elle me répondit :

– Dans la vie, mon Jacques, il faut savoir faire des relations publiques.

« Relations publiques. » Elle qui me bassinait avec la protection de sa vie privée !

– Il faut qu'on parle de moi, tu comprends, je suis une vedette, insistait-elle. La concurrence est rude !

Cette clairvoyance ne l'empêchait pas de piquer des colères noires lorsqu'elle lisait un article qui ne lui convenait pas. Parfois, elle décrochait son téléphone et parlait sur un ton véhément à de mystérieux correspondants. Je saisissais involontairement des bribes de conversation qui me laissaient penser qu'un rédacteur en chef était à l'autre bout du fil. Le lendemain ou la semaine suivante, elle était sûre de lire l'article conforme à ses désirs et elle le brandissait sous mon nez, triomphante.

J'ai su plus tard qu'elle ne considérait pas Lazareff seulement comme un ami, mais comme une sorte de second père. Brigitte lui devait beaucoup, il est vrai. Lazareff avait de son côté déclaré dans un magazine : « Brigitte Bardot ne serait rien sans la presse, mais la presse ne serait rien sans Brigitte Bardot... » Pierre Lazareff finit par m'avouer un jour qu'il était le premier informé de tous nos faits et gestes :

– Mon cher Jacques, bon nombre d'actrices feraient bien d'aller prendre des cours chez Brigitte, car elle a parfaitement saisi quel usage une vedette comme elle peut faire de la presse.

– Que voulez-vous dire, Pierre ?

– Vous m'avez compris.

– Pas du tout !

– Allons, Jacques, ne jouez pas les naïfs ! Vous savez bien que c'est Brigitte elle-même qui nous renseigne !

Malgré tous mes soupçons, j'étais sidéré.

Naïf, je l'étais, et comment ! Mais aussi très amoureux, il ne faut pas l'oublier, ceci expliquant peut-être cela. À l'époque, seul comptait pour moi notre bonheur à deux. Ces moments privilégiés importaient mille fois plus à mes yeux que la façon dont Mlle Bardot pouvait organiser sa promotion.

J'avais fini par m'en moquer.

– On a lu un article sur Brigitte et toi. C'est vrai, ce qu'on raconte ? me demandaient mes amis.

J'étais obligé de me justifier, de démentir, d'expliquer qu'il s'agissait de rumeurs de journalistes. La « bardolâtrie » régnante faisait qu'il ne se passait pas une semaine sans qu'un magazine parle de nous : les coupures de presse se mesuraient au kilomètre. Il se serait écrit un million de lignes sur elle dans les journaux, deux millions dans les hebdomadaires, et plus de trente mille photos auraient été publiées !

*
* *

Célébrité ou pas, mythe ou pas, nous avions vingt ans. Enfin... Brigitte vingt-quatre et moi vingt-deux.

Que risquais-je, après tout, à croire en cette belle histoire et à m'y abandonner corps et âme ? Brigitte racontait à qui voulait l'entendre que j'étais l'homme idéal, le plus adorable, le plus intelligent, le plus tendre et l'amant le plus merveilleux. Pourquoi aurais-je dit non à ce bonheur ? Je vivais ma première grande passion amoureuse. Oubliés, les flirts et les aventures sans lendemain ! J'entrais dans une relation forte et durable. Brigitte n'était mon aînée que de deux ans, mais elle avait plusieurs longueurs d'avance. Elle avait épousé Roger Vadim en 1952 alors qu'elle était encore mineure, et avait collectionné les conquêtes amoureuses, notamment avec ses partenaires de tournage.

Je n'avais que faire du passé. Car jamais je n'ai douté de son amour. Ni producteur, ni metteur en scène, ni milliardaire, je n'étais certainement pas un pygmalion valorisant pour une jeune actrice ambitieuse. Bref, s'afficher avec moi ne pouvait rien apporter à sa carrière.

Alors, pourquoi m'aimait-elle ? s'interrogeront les sceptiques.

Les deux pieds dans l'enfance, elle allait chercher ses amours dans le vivier des garçons de son âge, marquant par là son aversion précoce pour le monde des adultes.

J'avais une authentique fraîcheur d'âme, j'étais désintéressé, et je ne la portais pas aux nues comme ses foules d'admirateurs. Bref, je ne donnais pas dans la complaisance. « L'admiration est une métaphysique à l'usage des singes », écrit Cioran. Je n'étais pas un singe, mais un homme subjugué par sa beauté, sa douceur, sa perversité de Lolita.

Je n'ai jamais pensé que notre liaison me propulserait en tête du box-office de la profession. Je me laissais simplement porter par cette romance à l'eau de rose, coulant des jours heureux entre les bras de ma dulcinée. Toutefois, son instabilité affective était notoire : je n'ignorais donc pas que le compte à rebours de notre histoire pouvait commencer à tout moment. De toute façon, je ne me projetais pas dans le long terme.

Mais ce qui était pris ne serait plus à prendre...

Avec sa grâce de danseuse, ses cheveux blonds au bas des reins, son port de reine, sa bouche pulpeuse... son passage dans les rues de Paris provoquait des attroupements spontanés de mâles ébahis. Sa force de séduction dépassait largement les frontières. Un journaliste du *New York Times* n'écrivait-il pas, dithyrambique : « B.B. est un objet fait de courbes mouvantes, un phénomène qu'il faut voir pour le croire » ? Et cet « objet » fait de courbes (é)mouvantes, ce « phénomène », je pouvais le serrer dans mes bras, l'embrasser, le caresser, sans autre contrainte qu'un désir réciproque, alors insatiable.

Nous vivions sur un nuage. Les nuits passées auprès d'elle et toutes les preuves d'amour qu'elle me donnait au quotidien m'attachaient irrésistiblement à elle.

Bien sûr, il fallait composer avec sa nature cyclothymique. Surtout quand elle se mettait à douter de tout, et d'abord d'elle-même. Je devais alors la rassurer, l'entourer. Résolument équilibré, je ne détestais pas ce rôle protecteur.

En revanche, je n'adhérais pas du tout à certaines facettes de sa personnalité que je perçais à jour. Avec son complexe de persécution, elle s'inventait des ennemis choisis parmi ses proches : ses parents, sa sœur, sa productrice, son imprésario... Bref, son entourage qui retrouvait grâce à ses yeux, une fois la crise terminée... jusqu'à la prochaine fois.

Je m'aperçus aussi qu'elle était « téléphonomaniaque ». Pendant des heures entières, elle tenait des conversations affectueuses au téléphone avec ses « amis ». On se couvrait de baisers via les PTT, on se jurait affection et fidélité. Et dès qu'elle avait raccroché, elle disait pis que pendre de ses interlocuteurs.

Lorsque j'évoquais devant elle son attitude hypocrite, elle me répondait, avec sa plus belle moue :

– Tu sais, Jacques, la sincérité ne paye pas dans ce métier. Ces gens-là ont besoin de moi comme moi j'ai besoin d'eux. Si je leur dis ce que je pense, je mets ma carrière en péril.

Et elle se jetait à mon cou, plus chatte que jamais :

– Heureusement, avec toi, je peux totalement me laisser aller ! Tu es ma lumière, ma vérité vraie !

*
* *

Brigitte revenait régulièrement à la charge pour que je vienne habiter chez elle. Mais je préférais garder mon appartement rue Le Goff pour m'octroyer quelques respirations. À force de pleurs persuasifs, elle finit par faire tomber mes dernières réticences.

Dans les jours qui ont suivi mon installation à « la Paul Doumer », elle me débaptisa. Elle ne m'appelait plus que « mon Quinet ».

*
* *

La voyant si fragile, je pensais que malgré sa notoriété sa carrière ferait long feu. J'ai compris par la suite combien cette fragilité pouvait être ambiguë... Je me souviens d'une conversation avec Raoul Lévy, l'un de ses producteurs. Lorsque je lui fis part de mes doutes sur l'avenir professionnel de Brigitte, il posa une main affectueuse sur mon épaule et me détrompa.

– Jacques, tu verras, Brigitte Bardot c'est parti pour trente ans !

Malgré l'ampleur du phénomène B.B. qui se propageait telle une traînée de poudre, nous menions une vie assez tranquille. Le mythe vivant rentrait sagement le soir à la maison. Pour l'heure, le bilan de notre couple était globalement positif.

1959, c'est l'« année des copains ». En ce printemps, Piaf tirait des larmes à la France entière avec *Milord*, une chanson écrite par Georges Moustaki. Gainsbourg faisait sourire avec son insolite *Poinçonneur des Lilas* et Ray Charles, le surdoué, nous demandait *What'd I say ?* Henri Salvador chantait *Faut rigoler* avec son rire tonitruant. J'aurais sans doute dû l'écouter, car le conte de fées n'allait pas durer...

Dès le 17 janvier 1959, Brigitte Bardot fit enregistrer officiellement son nom pour le protéger des possibles exploitations commerciales.

Allons bon ! Je croyais vivre une histoire faite de chair et de beaux sentiments, et je devenais le détenteur patenté d'une marque déposée...

4

La femme-enfant

Ce qu'il faut de désirs aux heures de l'ennui
Et ce qu'il faut mentir pour que mentent les choses
Ce qu'il faut inventer pour que meurent les roses
L'espace d'un matin, l'espace d'une nuit.

Léo FERRÉ, *Le Printemps des poètes.*

La sortie de *Babette s'en va-t-en guerre* braqua les projecteurs sur le couple Bardot-Charrier. Difficile de nous rater : nous faisions les délices des gazettes, et le public pouvait nous voir à l'écran. Un critique persifleur présenta ainsi le film : « Babette ou Bé-bécassine agent secret »... En fait, tout le monde s'accordait à trouver que le rôle allait à Brigitte comme un gant. Elle y manifestait de la spontanéité, de la fraîcheur. On appréciait son « jeu décalé », entendez par là une certaine gaucherie émouvante. Elle jouait à merveille les personnages d'ingénue divertissante, libertine et gaffeuse, qu'elle incarnait aussi dans la vie... Cette vie, nous la partagions désormais entre l'avenue Paul-Doumer et mon appartement rue Le Goff, que j'hésitais encore à quitter définitivement.

Plus tard, Brigitte a décrit le lieu de nos ébats comme un « meublé minable, triste, moche, lugubre et sale », un « gourbi » où elle passait ses soirées, prétend-elle, à faire la vaisselle, le ménage et à laver mes chaussettes... Brigitte Bardot déguisée en Peau d'âne !

En fait de « gourbi », il s'agissait d'un charmant cinq pièces romantique que me louait un ami, Henri Pierre, journaliste correspondant du *Monde* à Washington. Son appartement était à l'image de cet intellectuel brillant et exquis. Ce qui déplaisait à Brigitte, sans doute, était de voir dans la bibliothèque tant de livres qu'elle n'ouvrirait jamais...

Avant de la connaître, j'offrais volontiers l'hospitalité à mes amis et à leurs petites copines, bien contents de trouver en permanence une clé sous le paillasson. Car ils n'avaient ni l'argent nécessaire, ni l'audace de se retrouver dans une chambre d'hôtel de passage.

Habituée très jeune au confort bourgeois, n'ayant jamais été étudiante, Brigitte détestait tout ce qui, de près ou de loin, ressemblait à la vie de bohème. Seuls les palaces trouvaient grâce à ses yeux. Tout le reste n'était que camping. Elle ne connaissait, avec « rigolo », que deux adjectifs descriptifs, « luxueux » et « sordide ». Le mot « rustique » n'était pas non plus pour lui déplaire, mais seulement dans le sens « relais et châteaux ». L'univers idéal de miss baby-doll excluait totalement l'existence d'un quelconque désordre ménager.

Lorsque mon réfrigérateur était vide, je n'étais pas contre un croque-monsieur avalé au bistrot du coin. Mais Brigitte n'était pas une adepte de cette cuisine-là. Car elle était très soucieuse de sa ligne. Et elle trouvait répugnant de me voir boire de la bière, alors qu'elle n'ingurgitait que du thé. Problèmes d'ajustement bien secondaires... Tout à notre amour, Brigitte se garda bien à l'époque de m'exprimer ces menus griefs : elle se contenta de me laisser entendre que l'appartement de la rue Le Goff était trop loin du XVIe arrondissement. En conséquence de quoi, elle proclama qu'elle n'y mettrait plus les pieds.

Fini donc, nos brèves escapades près du jardin du Luxembourg. J'abandonnai ma chère rive gauche pour la rive droite.

Dès lors, il ne nous restait plus qu'à nous jurer fidélité jusqu'à la fin des temps. Je n'avais pas à me forcer : Brigitte était un bonbon acidulé à déguster sans modération. Passée maîtresse incontestée dans l'art de la séduction, elle savait plaire à qui elle voulait lorsqu'elle le voulait, et rien ni personne n'aurait pu lui résister. Moi le premier...

Sa beauté animale était un atout qu'elle savait utiliser avec un instinct de Diane chasseresse. Ses minauderies, ses bouderies, les intonations enfantines de sa voix, sa démarche ondulante étaient le résultat d'un dosage savant. Sur le plan intellectuel, je ne pouvais pas la classer dans la même catégorie que Simone de Beauvoir ou Marguerite Duras. Sur le plan physique non plus, d'ailleurs, et l'un dans l'autre, ses atouts avantageux compensaient largement ses lacunes cérébrales. Qui a vu un jour Brigitte Bardot couchée nue sur papier glacé sait de quoi je veux parler. Et nous avions bien plus intéressant à faire pour occuper nos soirées que de nous lancer dans une étude comparative des œuvres de Nietzsche et de Schopenhauer...

*
* *

Chaque jour que Dieu faisait, je devais compter avec mes deux rivaux, Clown et Guapa, deux chiens dont Brigitte raffolait et qui la suivaient à la trace. Je trouvais cet attachement plutôt touchant, même si les deux quadrupèdes en question me volaient force caresses.

Brigitte se levait souvent très tard, car la Belle au bois dormant adorait flâner au lit. Une fois debout, elle se précipitait sur le téléphone pour rappeler son existence à tout son petit monde. Ses coups de fil étaient aussi urgents qu'interminables. Après quoi, elle plongeait dans un bain d'algues qui lui rappelait sa Madrague ensoleillée. Puis elle passait à la tenue du jour. Elle essayait jusqu'à une dizaine de robes, pantalons, chemisiers, pull-overs, perruques ou chapeaux au gré de son humeur et du programme de sa journée.

Je le rappelle, Brigitte n'avait de cesse de soigner son image avec une assiduité quasi obsessionnelle. Elle dut d'abord à une longue pratique de la danse une maîtrise parfaite de sa gestuelle, un maintien et une élégance de rêve. Plus tard, à force de poser pour des photographes, elle a saisi l'art subtil de se mettre en valeur. Beaucoup de femmes aiment travailler ainsi leur apparence, mais chez Brigitte cette coquetterie était devenue paroxystique. Elle savait qu'elle serait jugée là-dessus, et elle ne se serait permis aucune fausse note. À la moindre égratignure, tout l'édifice savamment conçu se serait écroulé comme un château de cartes.

Chaque matin, deux heures durant, la salle de bains se transformait donc en véritable laboratoire à produire des fantasmes. Brigitte soulignait ses yeux avec des traits noirs très gras, redessinait sa bouche en l'agrandissant démesurément : lorsque je la voyais réapparaître métamorphosée, j'avais parfois l'impression qu'elle sortait tout droit d'une toile de Van Dongen.

Tous ces artifices avaient de quoi la rendre éminemment désirable. Mais pour ma part, ses longues séances de maquillage m'irritaient parfois, car je la préférais toujours au naturel – au réveil ou à la sortie du bain.

Lorsqu'elle était enfin prête, nous pouvions quitter notre nid d'amour. Rarement avant seize heures. Si elle n'avait pas de rendez-vous, elle aimait « faire les boutiques », le plus souvent dans le quartier Saint-Germain, rue de Rennes, rue du Four. C'était l'occasion pour elle de signer ici et là quelques autographes, et de pester contre la vulgarité de ces importuns accrochés à ses basques... dès qu'ils avaient le dos tourné.

Lorsque j'avais le temps, je l'accompagnais volontiers dans ses emplettes. Brigitte avait un don inégalable pour se vêtir à peu de frais. Entendez que le moindre bout de chiffon l'habillait. Mais aussi, et c'était le plus cocasse, elle se débrouillait pour se faire offrir ses toilettes par les commerçants ! Brigitte avait pris l'habitude de remplir sa garde-robe gratuitement. Elle enfilait un vêtement, paradait, divine, puis, au moment de régler la facture, elle s'adressait au propriétaire de la boutique, avec un culot désarmant :

– Vous me trouvez belle ? Bon. Eh bien alors offrez-moi la robe ! En échange, je promets de vous faire de la publicité.

Cet engagement ne mangeait pas de pain, et tout le monde semblait content. Brigitte sortait du magasin triomphante... laissant le commerçant méditer sur la transaction... Quant à moi, il m'arrivait souvent de m'acquitter de sa dette dès le lendemain. Heureusement car, en fait de publicité, Brigitte ne portait jamais ses vêtements plus de deux ou trois fois ! Elle s'empressait ensuite de les mettre en dépôt avenue Mozart dans une boutique spécialisée dans la revente de vêtements usagés en précisant :

– Vous en tirerez un bon prix si vous dites que cette robe a appartenu à Brigitte Bardot !

Il n'y a pas de petits profits, c'est bien connu...

Brigitte la sauvageonne refusait de courir les grands couturiers. Ils étaient trop chers à son goût. Et puis son stratagème étant bien rodé dans le prêt-à-porter, pourquoi aurait-elle renoncé à cette manne ? Brigitte n'aimait pas jeter son argent par les fenêtres en « frais inutiles ».

Je ne l'ai jamais vue par exemple avoir un coup de foudre pour un meuble de prix ou un tableau de valeur chez un antiquaire, alors qu'elle avait bien largement les moyens de les acquérir. De toute manière, elle pouvait s'en passer, car cette forme d'esthétique ne l'intéressait pas. Elle n'avait pas la fascination de l'art en général, du beau meuble, des toiles de maître, des livres anciens et rares. Sa seule passion « culturelle » se résumait aux mots croisés dans les magazines féminins. Elle y passait des heures, quelque part entre son petit déjeuner, son bain et la pâtée des chiens. À force d'exercice, elle en connaissait toutes les ficelles.

Lorsque Paris lui donnait la migraine, Brigitte décidait que partir à la campagne lui ferait le plus grand bien.

– Dis, mon Quinet, les belles plantes, ça a besoin d'air pur, tu sais ! me lançait-elle, langoureuse.

Et la belle plante riait. Nous grimpions alors dans ma voiture, une Alfa Romeo rouge flambant neuve, et nous filions nous réfugier quelques jours dans une auberge des environs de Paris. Là, Brigitte renouait avec dame nature. Je la regardais s'égailler au milieu des verts pâturages, telle Perrette sans son pot au lait, entre les vaches, les moutons, et les papillons.

La belle plante s'oxygénait jusqu'au moment où les plaisirs champêtres cessaient de l'amuser. Il fallait rentrer sur-le-champ à Paris.

*
* *

Quelques jours avant son vingt-cinquième anniversaire, Brigitte me suggère de lui offrir le manteau de fourrure de ses rêves. J'avoue ne pas me souvenir s'il s'agissait d'un vison d'Amérique ou d'une panthère de Somalie. À cette époque, elle ne se posait pas encore en madone des animaux. Décidé à exaucer son vœu le plus cher, j'ai demandé à mon ami Guy Laroche de dessiner le modèle.

Et Brigitte de battre des mains comme une petite fille devant la glace. Puis elle m'a remercié en ouvrant sa garde-robe :

– Tu vois, Jacques, c'est la première fois qu'un homme me fait un aussi beau cadeau !

Et tandis qu'elle le rangeait dans la penderie, je me suis aperçu que trônaient là, suspendues à la tringle, d'autres espèces en voie de disparition. Plus tard, convertie à la religion animale, Brigitte déclara sans sourciller qu'une femme en manteau de fourrure « porte un cimetière sur les épaules ». Autant dire que son placard était rempli de cadavres en tous genres. Sa rédemption tardive en fera sourire plus d'un...

*

* *

Nous étions très sollicités pour participer à des dîners, des galas, et autres festivités. Ces mondanités ne me réjouissaient pas outre mesure, mais elles faisaient partie de nos obligations. Un soir, nous avons accepté d'être les invités d'honneur d'un congrès de distributeurs de films et d'exploitants de salles, très influents dans le métier.

Comme à son habitude, Brigitte passe deux heures à s'habiller et à se pomponnner. Mais au moment de partir, coup de théâtre : voilà qu'elle me demande d'y aller seul ! Elle se sent moche, chiffonnée, elle est d'une humeur massacrante. Un bouton sournois a éclos à la pointe de son menton. Tellement sournois d'ailleurs que je n'arrive même pas à le distinguer ! Mais il lui crève les yeux, plus envahissant qu'une lèpre galopante.

J'insiste, je lui explique qu'elle doit honorer sa promesse, que la politesse la plus élémentaire lui commande au moins de faire une apparition à cette soirée. Mais peine perdue, elle se braque, m'opposant un refus définitif. Péremptoire, elle trépigne qu'elle n'ira pas « dans cet état ». Un « monstre » ne saurait se montrer en public. Le bouton impudent doit être traité immédiatement.

Lorsque les organisateurs me voient arriver seul, je lis une profonde déception sur leurs visages. Je me confonds en excuses. J'invente le prétexte d'une subite et terrible migraine qui cloue la star au lit. Un alibi d'une banalité affligeante, mais je reste crédible : la migraine de Bardot s'est déjà taillé une réputation dans tout l'Hexagone. Surtout celle dite « de dernière minute », d'autant plus redoutable qu'elle ne prévient pas...

À mon retour ce soir-là, Brigitte m'attendait derrière la porte, plus amoureuse que jamais. Elle s'excusait, elle regrettait, se demandait pourquoi elle avait refusé de m'accompagner, elle m'assurait que j'étais l'amour de sa vie, sa passion, son absolu. Je devais lui pardonner. Elle me jurait qu'elle ne recommencerait plus jamais. J'étais enclin à l'indulgence, car elle savait trouver les arguments infaillibles pour me persuader... Je ne me rendais pas compte qu'elle testait sur moi une arme efficace dont elle usait et abusait avec son entourage : la douche écossaise, le froid et le chaud, le coup de griffe et la patte de velours.

Cependant, la guerre des boutons n'était pas terminée ! J'ai livré tellement de batailles dans le domaine que j'ai fini par regretter de ne pas avoir étudié la dermatologie pour résoudre ses problèmes sous-cutanés. Elle en a annulé, des sorties en ville ou des départs en vacances, à cause d'un bouton qui pointait son nez ! Au point que j'inspectais attentivement son menton chaque matin pour anticiper le programme de la journée. À chaque couple son mode d'emploi...

Face à de telles scènes, je restais souvent perplexe, partagé entre deux sentiments. D'un côté, je voyais Brigitte comme une victime lassée des impératifs pesants de sa vie publique. Et de l'autre, je me demandais si sa « phobie boutonneuse » n'était pas simplement un caprice de star gâtée. Dans les deux cas, elle semblait chercher la solution dans l'excès. Jean Cau a très bien décrit ce phénomène en écrivant à son sujet : « Un mythe c'est cela : une ravissante enfant femelle qui a peur et dont les plaintes, quand elle est seule, doivent être des cris ; et dont les tristesses, quand elle ne les comprend pas, doivent être des crises. »

Brigitte restait pour moi une énigme, empêtrée dans ses obscures contradictions.

J'étais navré que ce comportement puisse donner d'elle une image de femme fantasque, alors que, par ailleurs, elle tenait dur comme fer à son aura de « gentille vedette », comme chantait Charles Trenet. Mais ses tocades l'emportaient. Après tout, me disais-je, une star a peut-être le droit de tenir les autres pour quantité négligeable. Les autres... ceux que Brigitte nommait les « raseurs » et les « pignoufs ».

Elle ne se gênait pas pour profiter des privilèges de son statut. Mais elle était souvent si déroutante ! Tout se passait comme si elle voulait bien être une déesse – elle avait tant désiré la célébrité –, mais sans se soumettre aux obligations du star-system. Elle considérait le cinéma comme un métier gratifiant, mais qu'elle n'entendait pratiquer qu'à sa guise. Elle voulait bien gagner beaucoup d'argent, mais elle refusait de respecter les contraintes des horaires de tournage et elle oubliait d'honorer certains rendez-vous.

Plus tard, en 1968, dans un grand élan de sincérité lors d'un entretien avec Jacques Ourevitch sur Europe 1, elle justifia ainsi ses manquements :

– Les hommes me trouvent capricieuse et ça me désole. Tu as vu un peu la vie que je mène ? Tout le temps des gens sur le dos, tout le temps des coups de téléphone à donner ou à recevoir, tout le temps trente-six mille personnes autour de moi. Ça crée une atmosphère plus insupportable qu'on ne le pense. Alors, souvent j'ai de grands coups de fatigue. Je deviens nerveuse, injuste. Je crie. Je supporte difficilement la présence des autres. Ça, ce n'est pas du caprice. Seulement une question de résistance nerveuse qui me lâche par moments.

Dieu soit loué, elle se montrait encore avec moi de bonne résistance nerveuse. Elle me trouvait formidable, et je la trouvais irrésistible. Pourtant, elle était loin d'être parfaite... Jour après jour, s'accentuait un trait de son caractère dont les manifestations devenaient systématiques : elle s'enlisait de plus belle dans son complexe de persécution. À nouveau, le complot organisé, les malveillances des uns et des autres, les suspicions maladives. Brigitte ressentait tout ce qui n'était pas elle comme une franche adversité. Lorsqu'elle avait besoin de quelqu'un, elle lui trouvait toutes les qualités du monde, mais une fois le service rendu, le quelqu'un en question pouvait prendre la porte. Tout ce qui ne flattait pas son narcissisme devait être éliminé. « C'est ça, avoir du caractère », avançait-elle, insolente. Car elle n'est pas femme à contourner l'obstacle. Elle le détruit. Et si elle ne parvient pas à ses fins, elle trouve son salut dans la fuite. Le monde se divisait en deux : d'un côté ceux qui servaient ses exigences, et de l'autre, le reste de la planète, nécessairement ligué contre elle. J'avais l'impression que s'esquissaient là des tendances fâcheuses à la misanthropie. Tendances qui ne feront que se confirmer au fil des ans, son transfert affectif sur les descendants de l'arche de Noé aidant.

En 1964 au cours d'une interview sur Europe 1, un journaliste lui posa la question de but en blanc :

– Aimez-vous les gens ?

– Non !

Et en 1981, dans le magazine *Elle*, Brigitte enfonça le clou :

– Je ne supporte plus personne... Je trouve les gens stupides, superficiels, grossiers, vulgaires, cruels. J'ai une très vilaine vision de l'humanité... Il m'arrive surtout d'avoir le cafard quand je pense à la détresse animale... Ce n'est pas possible de continuer à vivre dans un monde aussi dégueulasse.

Sur sa lancée, elle s'en prit à la terre entière, y compris aux acteurs qui occupaient alors le devant de la scène :

– Regardez Dewaere, Depardieu, les deux don Juan français, mais quelle horreur ! Heureusement que je ne tourne plus, je serais bien incapable de les embrasser sur la bouche !

De toute façon, aucun producteur ne lui demandait à l'époque de le faire.

*
* *

Au hasard de nos sorties, nous nous laissions souvent surprendre par l'éclair d'un flash ou d'un téléobjectif. Alors elle m'envoyait au front, avec mission de pister le photographe et de récupérer la pellicule. J'échappais rarement à la course aux paparazzi. Certains jours, j'avais l'impression de préparer le cent mètres pour les prochains jeux Olympiques. J'étais devenu un spécialiste de la protection rapprochée de Mlle Bardot. Un rôle dont je me serais bien passé, d'autant que je ne suis pas d'une nature hautement athlétique – mais que faire d'autre face aux supplications de Brigitte ? À force de jouer le garde du corps, j'ai fini par me forger une réputation d'individu belliqueux auprès de la presse. Brigitte Bardot sortait son pittbull. Un comble, pour moi qui tenais plus du cocker affectueux que du molosse...

Un jour, dans un magasin, elle est venue se plaindre à moi :

– Tu vois le type là-bas ? Il m'a mis la main aux fesses !

Même de loin, le type mesurait deux têtes de plus que moi. Je fus obligé d'aller le trouver et de lui demander des explications. Je n'en menais pas large. Car je savais qu'une fois de plus, j'étais le dindon de la farce : Brigitte avait inventé cet affront fessier juste histoire de m'éprouver. Après quoi, elle pouffait de rire :

– Tu es mon Quinou, mon héros, qui protège sa gentille petite femme des vilains messieurs.

Sur le moment, ces enfantillages me faisaient sourire. Aujourd'hui, quand j'y repense, je suis consterné.

*
* *

La construction du mythe Bardot était inexorable.

Brigitte incarnait la France, au même titre que la DS 19, une voiture révolutionnaire qui venait de sortir des usines Citroën, avec ses courbes sensuelles, sa suspension et sa direction hydraulique. À l'instar de notre B.B. nationale, cet engin symbolisait le génie français. Même souplesse de conduite, même qualité des reprises, même démarrage au quart de tour...

Si les producteurs avaient pu coter Bardot à la Bourse, ils l'auraient fait sans hésitation. Ne disait-on pas qu'elle rapportait plus à l'État que la régie Renault ? *Et Dieu créa la femme* avait engrangé quatre millions de dollars dès la première année de son exploitation aux États-Unis – à peine l'équivalent de la vente à l'exportation de deux mille cinq cents voitures Dauphine. On était loin du compte, mais peu importe. L'entourage de la star avait judicieusement récupéré l'information pour assurer sa promotion.

La presse ne se lassait pas de décliner le titre du film qui avait fait sa gloire : *Et Dieu créa Bardot*, ou bien *Et Bardot créa la femme*. À croire qu'avant elle nulle femme n'avait jamais existé. Elle aurait donc tout inventé. Les paniers en osier, la coiffure en choucroute, les ballerines, les bouquets de fleurs des champs, les chiens, etc. Bientôt ce sera la robe vichy.

En mai 1958, elle achète la Madrague, un ancien hangar à bateaux dans la baie des Canoubiers à Saint-Tropez. Aussitôt, le petit port méditerranéen devient à la mode dans le monde entier. Pourtant, Brigitte fréquente peu les boîtes de nuit, et elle mène une vie bien tranquille. Elle se couche tôt, se réveille tard. Après un bain sur la plage au bout du jardin, elle déambule sans maquillage, dans le plus simple appareil, cheveux au vent. Elle vit dans une maison décorée avec trois fois rien, entourée de ses chiens qui servent d'abord à la préserver des importuns. Et Brigitte de bronzer des heures entières, allongée sur le ponton de bois qui domine la mer.

L'impact de son nom sur le tourisme et le commerce local est époustouflant. Un bar est même baptisé le *Bar Dho* et on lui prête un temps le désir de devenir maire de la commune. Une tornade blonde souffle sur Saint-Tropez.

Comme sur toute la France d'ailleurs. Subitement déambulent dans nos rues des bataillons serrés de clones bardotesques. En veux-tu, en voilà ! Qui n'a pas sa fausse blonde, avec sa choucroute et son petit bouquet champêtre, n'est pas dans le coup. Pour le plus grand bonheur des fabricants d'osier, des salons de coiffure, des marchands de chaussures et autres fleuristes. Chacun y trouve son compte. Y compris les maris et les amants qui peuvent se payer à moindres frais de pâles imitations de Bri-bri. De mon côté j'avais à la maison l'original du sex-symbol dans toute sa splendeur.

On frôlait l'hystérie collective. Je me souviens qu'en mai 1958, la Madrague avait été cambriolée. Les voleurs s'étaient emparés des biens qui leur paraissaient les plus précieux : une culotte de satin noire, deux paires de bas, trois photos et un chapeau de paille... Nous avions affaire à une nouvelle race de fétichistes.

Rares étaient les jours où je n'étais pas confronté à un admirateur qui la harcelait. Je pensais, fataliste, que c'était la rançon à payer pour sa gloire et sa beauté. Je n'ai pas compté le nombre d'hommes que j'ai trouvés dormant sur son paillasson, devant sa porte. Les plus téméraires montaient sur le toit et descendaient en rappel pour passer devant ses fenêtres. Juste pour l'apercevoir.

Un jour, un homme m'a interpellé dans la rue. Il avait un fort accent latino-américain.

– Monsieur Charrier, je peux vous parler ?

– Mais... oui !

– Vous savez que tout a un prix dans la vie. Eh bien, je vous l'achète !

– Vous m'achetez quoi ?

– J'achète ! Votre prix sera le mien !

– Mais de quoi parlez-vous ?

– Vous êtes bien le fiancé de Brigitte Bardot ?

– Oui, cela se pourrait bien.

– Alors, monsieur Charrier, vous avez la plus belle fille du monde ! Moi, j'ai tout réussi dans la vie ! J'ai possédé des femmes sublimes ! Mais votre B.B. est la plus belle de toutes ! Je la veux !

L'homme a alors sorti un chéquier. J'en restais comme deux ronds de flan.

– Je vous signe un chèque et vous inscrivez la somme que vous voulez !

Je partis d'un fou rire irrépressible.

– Cher monsieur, l'esclavage est aboli en France depuis belle lurette !

Des années plus tard, j'étais assis dans un café quand j'ai aperçu un homme à une table voisine qui me faisait signe. Je reconnus mon Latino-Américain :

– Alors, monsieur Charrier ! Vous ne regrettez pas d'avoir refusé ma proposition ? Vous savez, j'étais prêt à aller très loin pour cette acquisition !

C'est ainsi : le mythe Bardot a toujours suscité le mercantilisme.

5

L'enfant de l'amour

Je n'aurais renoncé à Brigitte pour tout l'or du monde. Aveuglé par l'amour, je n'avais plus un regard pour les autres filles. Nous étions des amants unis par le plaisir des sens, certes, mais aussi par une tendre complicité. Bref, j'étais devenu l'homme d'une seule femme.

Et pendant ce temps-là, la Terre continuait de tourner : en mai 1959, Sydney Bechet s'éteignait dans sa maison près de Paris. Le film de Marcel Camus, *Orfeu Negro*, raflait la Palme d'or du Festival de Cannes.

Notre histoire avait trouvé sa vitesse de croisière. Nous nous jurions un amour fidèle et éternel. Tandis que je m'abandonnais à cette passion exclusive, mes souvenirs d'enfance surgissaient du passé. Le couple merveilleux que formaient mes parents restait pour moi le modèle à suivre. Je n'en désirais pas plus pour être heureux avec Brigitte. Je pensais aussi aux familles fondées par mes frères et ma sœur, éparpillés aux quatre coins de France au gré de leurs aspirations. J'entrais dans l'âge adulte, rien ne serait jamais plus comme avant. L'existence insouciante que j'avais connue en Tunisie, à Strasbourg ou à Montpellier, protégé par les miens, était loin. Je devais créer moi-même les conditions de mon bonheur. Depuis que j'avais quitté le domicile familial pour aller faire l'acteur à Paris, j'avais plongé dans ma nouvelle vie à pieds joints : les événements s'étaient enchaînés très vite, je m'étais laissé griser par le tourbillon de ces deux dernières années. Le moment était peut-être venu de penser à l'avenir.

Nous avons alors évoqué l'éventualité d'un enfant. C'était un soir délicieux comme nous en connaissions souvent. Blottis l'un contre l'autre, après une folle étreinte, à mille lieues des tracas de la vie quotidienne, nous avons tout naturellement abordé le sujet. Nous étions très émus à l'idée de perpétuer notre amour à travers un bébé. Comme tous les amoureux du monde, nous avons effeuillé les pages du calendrier pour lui trouver un prénom.

Jusqu'à la lecture de son livre, trente-sept ans plus tard, j'ignorais tout des fausses couches de Brigitte avant notre rencontre. Et elle de son côté s'est bien gardée de s'en ouvrir à moi.

À partir de cette soirée, l'hypothèse d'une naissance fit son bonhomme de chemin dans nos esprits. Brigitte se jetait à mon cou, tout étourdie de joie :

– Jacques, ce serait le plus merveilleux des cadeaux !

Et ce fut un jour décidé : nous aurions un fils et nous l'appellerions Nicolas.

Nous nous sommes attelés à la tâche sans relâche.

*

* *

Dans son livre, Brigitte raconte que « le 22 avril 1959, Jacques me prit entre quatre z'yeux et me déclara que j'avais besoin d'avoir un enfant ». Je lui aurais assuré que cet heureux événement lui apporterait l'équilibre et la sécurité qu'elle réclamait tant. Elle écrit : « Il me fit cet enfant ce jour-là avec tout l'amour du monde, toute la force que donnent la passion de la jeunesse et l'inconscience de l'immaturité. »

Une fois passés ces moments d'extase, Brigitte aurait « repris ses esprits » et voulu « foncer tête baissée » se laver de cette souillure dans la salle de bains.

Mais, toujours selon les dires de Brigitte, ce soir-là, je lui aurais interdit de se livrer à ces ablutions. « Il m'en empêcha ! Il était même furieux que j'aie eu ce geste. J'étais redevenue lucide et je ne voulais pas d'enfant ! Mon Dieu, surtout pas ! »

Suit la description d'une prétendue lutte au cours de laquelle je lui aurais barré la porte de la salle de bains. Tout à coup, elle se serait calmée, « croisant très fort les doigts derrière son dos, croyant au miracle ».

Les affirmations de Brigitte ne sont pas crédibles une seule seconde. Pas besoin d'être grand clerc pour démasquer sa supercherie. Pourquoi l'aurais-je empêchée de « foncer » vers la salle de bains ce soir-là précisément et pas la veille, ni le lendemain ? Comment pouvait-elle présumer l'heure et la date précise de sa fécondation ? Sans compter que nous sommes en 1959, encore peu informés sur ces questions : les moyens contraceptifs sont très limités et la maîtrise de la grossesse restreinte. Il faudra attendre le début des années soixante-dix pour que l'usage de la pilule se généralise sous le coup de la « libération des mœurs » et des revendications féministes. De toute façon, je n'étais pas féru de gynécologie. J'étais moi-même un enfant dit « Ogino », du nom de la méthode contraceptive du célèbre médecin japonais.

Et pourquoi aurais-je subitement joué les cerbères devant la salle de bains, alors qu'elle me reproche par ailleurs d'être trop fleur bleue et « bien gentil » ?

Ces contre-vérités sont d'un ridicule achevé. Si ce n'était la colère que j'ai ressentie à la lecture de tels mensonges, je me roulerais par terre de rire. On s'en doute, je préférerais rejeter ces affabulations sordides d'un simple haussement d'épaules. Blanchir mon honneur ailleurs que dans les eaux nauséeuses de ce bidet d'infamie. Malheureusement, je suis obligé d'y plonger les deux mains à mon tour. Car la version que tente d'imposer Brigitte n'a rien d'anodin : elle constitue même le point de départ de l'hallucination honteuse contenue dans son livre.

Elle cherche coûte que coûte à accréditer l'idée qu'elle a eu un enfant sous la menace d'un horrible macho. Ainsi, elle cherche à faire comprendre que, n'ayant pas désiré cette grossesse du fond de ses entrailles, personne ne pourrait lui reprocher d'avoir ensuite abandonné cet enfant. Et le tour est joué ! Si Brigitte parvient à convaincre le public avec ce subterfuge, n'a-t-elle pas déjà gagné au moins les circonstances atténuantes ? Qui songerait à blâmer une femme dénuée de sentiment maternel à l'égard du fruit d'un quasi-viol ?

Et pour émouvoir les jurés, rien de tel qu'une belle tranche de vie personnelle bien saignante. Souvenons-nous de la leçon : plus l'histoire est intime, plus elle revêt les apparences de la sincérité. « La preuve que je ne vous mens pas, semble déclarer Brigitte à ses lecteurs, c'est que je vous ouvre la porte de ma salle de bains. Allez-y, rincez-vous l'œil, je ne cache rien, pas même ma toilette intime ! » Surpris par cet exhibitionnisme échevelé, le chaland ne voit pas derrière la prétendue « mise à nu » le coup d'esbrouffe, la « mise en scène » !

Quant à Brigitte, tout à sa mystification, elle en oublie que nous étions deux ce soir-là dans la chambre, et que, ne lui en déplaise, je peux encore rétablir la vérité, lettres à l'appui.

*
* *

Plus de doute possible, Brigitte est bel et bien enceinte ! Dans son livre, elle prétend m'avoir caché son état le plus longtemps possible. Pure invention ; elle m'a même tenu au courant de ses présomptions de maternité. Mais d'un commun accord, nous avons décidé d'attendre la confirmation de cette grossesse pour l'annoncer à notre entourage.

Au début, loin d'être inquiète, Brigitte ne m'a pas dit que son état pouvait avoir des répercussions négatives sur sa carrière. Nos conversations tournaient autour de l'événement lui-même – cette aventure si banale et en même temps si extraordinaire pour une femme et pour un homme qui s'aiment. Nous prenions conscience bien sûr que l'arrivée d'un enfant risquait de modifier quelque peu notre vie quotidienne. Mais d'autres étaient passés par là et nous saurions bien en faire autant. C'était pour nous une joie immense que nous partagions avec fébrilité.

Toutefois, nous avons préféré attendre les résultats d'un certain nombre de contrôles médicaux avant de nous réjouir. Inutile d'élaborer des projets pour rien. Inutile aussi que des indiscrétions parviennent à la presse spécialisée car Brigitte, qui a signé un engagement pour un film, risque de voir son contrat dénoncé.

Une fois tout à fait sûrs, nous nous laissons aller tous deux à l'émerveillement et à l'enthousiasme. Brigitte se montre encore plus aimante. Notre relation devient si forte que nous pensons être les premiers au monde à vivre un tel bonheur.

Évidemment, je sais que je ne suis pas le premier homme dans sa vie, mais son comportement me le fait oublier. Elle me jure que les autres n'ont pas compté, que je suis le seul, l'unique, donc d'une certaine façon le premier, qu'elle m'aimera jusqu'à son dernier souffle, et que cet enfant en sera la preuve vivante. Je ne doute pas alors une seconde de sa sincérité et, sans la parution de ses Mémoires, je resterais aujourd'hui encore persuadé de sa bonne foi à ce moment-là...

Les tensions ont commencé lorsque, sa grossesse confirmée, Brigitte a été obligée d'en informer son entourage professionnel.

Car au lieu de se réjouir de l'arrivée de cet heureux événement, tout le petit monde qui gravitait autour d'elle a été soudain pris d'une trouille épouvantable. Peur notamment qu'elle prenne goût à la maternité et se transforme en mère pondeuse, ce qui l'entraînerait presque obligatoirement à abandonner le métier.

Panique à bord ! Il faut bien comprendre que Brigitte était le gagne-pain d'une foultitude de gens travaillant pour l'industrie cinématographique. Or l'arrivée d'un bébé leur offrait la bien triste perspective de longs mois de chômage. Surtout qu'œuvrer pour Bardot mettait à l'abri du besoin financier, garantissant le plein emploi. Ce bébé était le grain de sable dans la belle machine lucrative. Dès lors, il fallait tout entreprendre pour empêcher que la source de profits vienne à tarir.

Les membres influents de l'entourage immédiat de Brigitte se sont spontanément unis face à la menace. Ils ont commencé à tenir un discours simpliste au service de leurs intérêts :

– Brigitte, ne fais pas de bêtise, pense à ton avenir, c'est ta priorité.

Et ils savaient qu'ils touchaient là une corde sensible. Car Brigitte pensait fichtrement à sa carrière et à sa notoriété ! Et voilà qu'un jeune provincial venait troubler ce bel ordonnancement... Évidemment, ces pressions s'effectuaient à mon insu. En secret, se constituait progressivement un « front uni » contre la venue au monde de notre enfant. Jusqu'au jour où je découvris le pot aux roses.

Tous ces braves gens, dont la plupart avaient des convictions philosophico-religieuses conservatrices et donc farouchement opposées à l'avortement, ne souhaitaient désormais plus qu'une chose : Brigitte devait avorter. Ils ne la percevaient plus comme une femme, encore moins comme une future mère, mais comme un chef d'entreprise qui devait leur assurer la sécurité de l'emploi. Et dans ces cas-là, avec ces gens-là, comme l'a chanté Jacques Brel, « on ne pense pas, monsieur, on compte ». Guidés par leur porte-monnaie, ils étaient prêts à tout.

Mais ils étaient aussi fins stratèges. Jamais ils ne se montrèrent autoritaires avec Brigitte. Ils n'exigeaient rien. Ils se contentaient de lui ressasser les « dangers » de sa grossesse. En insistant sur le danger que constituait la notoriété de Jeanne Moreau, que Brigitte considérait comme sa grande rivale :

– Si tu te retrouves enceinte, elle va te piquer tous tes rôles et ta carrière est fichue !

Brigitte était affolée à cette idée. Et aux yeux de sa ligue anti-grossesse, j'étais l'affreux géniteur responsable de tous les périls.

*
* *

En lisant le livre de Brigitte, j'ai appris avec stupeur que dans les premières semaines de sa grossesse, elle aurait rendu visite à quantité de spécialistes de l'avortement clandestin. Cette affirmation me laisse sceptique.

Elle prétend que les « faiseurs d'ange » auraient tous refusé de pratiquer l'acte car sa célébrité leur faisait courir un trop grand risque. À la moindre indiscrétion, à la moindre fuite, ils étaient bons pour la prison. Or on ne me fera pas croire qu'il n'existait pas, en France, un médecin véreux prêt à encaisser les « sommes fabuleuses » que Brigitte dit avoir proposées ! Et je ne parle pas de la Suisse, où elle pouvait se faire avorter dans les meilleures conditions, avec toutes les garanties de légalité et d'anonymat.

L'épisode des « faiseurs d'ange » récalcitrants ne vise en fait dans son récit qu'un seul but. Parer l'argument évident, naturel, que pourraient lui objecter ses lecteurs : « Mais si vous n'en vouliez pas, de cet enfant, vous pouviez encore avorter ! Plutôt que de l'abandonner ensuite... » À la lumière de ses Mémoires, Brigitte peut maintenant leur rétorquer : « J'ai essayé, ma bonne dame, mais ce n'est pas ma faute, vous voyez bien, personne n'a voulu. »

La manœuvre pourrait paraître dérisoire.

Elle ne l'est pas. Car tout occupée à récrire l'histoire qui l'arrange, Brigitte fait fi du mal qu'elle peut causer par ces mensonges. À moi, passe encore, l'atteinte ne serait pas si grave. Mais surtout son fils, mon Dieu ! À cet enfant que j'ai eu à cœur d'élever dans le respect et l'amour de sa mère, et qui, trente-sept ans plus tard, voit celle-ci lui cracher au visage qu'il n'aurait jamais dû vivre, si elle était arrivée à ses fins !

Mais Brigitte ne peut plus faire marche arrière. Poussée par son tempérament, elle se laisse prendre dans l'engrenage d'une logique qui vise à la disculper à tout prix, à s'absoudre de toute responsabilité à l'égard de son fils.

Premier mensonge : on m'a engrossée de force.

Deuxième mensonge : on m'a empêchée d'avorter.

Les éléments se mettent en place peu à peu. Il ne manque plus que la dernière pièce du puzzle infernal, la plus ignoble de toutes...

*
* *

Le travail de sape de l'entourage battait son plein. Brigitte, très influençable, ne savait plus où elle en était. Un jour, elle sautait de joie à l'idée de mettre un enfant au monde, elle était prête à lui tricoter des brassières. Et le lendemain, je la trouvais effondrée dans un fauteuil, totalement catastrophée à l'idée que Jeanne Moreau puisse lui voler ses rôles. Elle était partagée entre son désir de maternité et les exigences de sa carrière. Et le chœur anti-grossesse de lui seriner :

– Tu es un mythe, Brigitte ! La fiancée du monde ! Toi qui as tous les hommes à tes pieds, comment peux-tu accepter de les décevoir ? Tu dois rester belle et mince si tu veux continuer à les faire rêver !

Elle finissait par le croire, elle s'en délectait même, d'autant que la presse le lui confirmait sans arrêt : elle était le symbole de ceci ou cela, de la femme moderne ou éternelle, de la France même... gna, gna, gna, gna, gna...

– Tu as lu, Jacques, ce qu'on a écrit sur moi ? Tu crois qu'un mythe peut faire un enfant ?

J'éclatais de rire, tant la question me paraissait saugrenue... Je la prenais par la taille.

– Chérie, les mythes du cinéma ne sont faits que pour les magazines. Tu es une femme, comme n'importe quelle autre. Il est naturel que tu aies envie d'aller au bout de ton corps. Mettre un enfant au monde est la plus belle aventure qui soit.

Et elle me couvrait alors de baisers, rayonnante :

– Oui, Jacques, l'enfant de notre amour !

Mais sa joie n'était que de courte durée, ses doutes reprenaient le dessus. Un jour, comme elle venait de lire un article dans un magazine sur la grossesse, elle me montra la photo d'une femme enceinte. La vue de ce ventre rond la terrorisait :

– Tu te rends compte ? Je vais devenir comme ça, une grosse dondon !

Elle jeta le journal par terre et éclata en sanglots :

– Je ne veux pas ! Je ne veux pas ! Je vais devenir laide !

J'ai essayé de la rassurer, je lui ai expliqué qu'une femme enceinte est au faîte de sa plénitude, et qu'ensuite elle retrouverait sa ligne.

Peu à peu, mes paroles semblaient porter leurs fruits. Au fil des jours, Brigitte finit par accepter l'idée que sa grossesse serait une expérience exceptionnelle. Les conseils que lui prodiguait par ailleurs sa mère allaient dans le même sens. Après tout, celle-ci ne l'avait-elle pas portée dans son ventre et mise au monde, ainsi que sa sœur Mijanou ? Et elle était toujours très belle.

Brigitte acceptait de mieux en mieux son état :

– Est-ce que je te plairai assez pour que tu me fasses encore la cour avec mon ballon sur le ventre ? me demandait-elle, coquine.

Les premières craintes passées, la tendresse l'emportait. Brigitte commençait à me parler de l'éducation de notre futur enfant. Elle achetait des livres sur le sujet, se renseignait auprès des mères de famille que nous rencontrions. Elle paraissait épanouie, heureuse de donner la vie.

Pourtant, trente-sept années plus tard, Brigitte vient livrer au public le récit d'une grossesse vécue comme un interminable calvaire. Elle ose même parler d'un « fœtus informe qu'[elle] avait dans le ventre ».

Le paroxysme de l'ignominie est atteint. Cette phrase à elle seule aurait suffi pour que je brise enfin près de quarante ans de silence. Car il en va de l'identité même de notre fils. Comment peut-on vivre quand sa propre mère vous refuse le statut d'être humain ? Dans son indignité, Brigitte ajoute : « C'était une tumeur qui s'était nourrie de moi, que j'avais portée dans ma chair tuméfiée, n'attendant que le temps béni où je m'en débarrasserais enfin. » Plaise au ciel de ne pas l'avoir entendue dans sa folie meurtrière, si tant est qu'elle écrive la vérité. Et la haine vissée au corps, elle avoue son intention de « l'avoir à l'usure, à cet âge-là on n'est pas très résistant ». Sans commentaire.

Curieusement, Brigitte semble avoir oublié en rédigeant son brûlot qu'elle m'avait envoyé autrefois des lettres qui contredisent catégoriquement sa version éhontée de sa grossesse. Ses missives enflammées ne laissent planer aucun doute sur ses sentiments à l'égard de l'enfant à naître :

... Je suis tellement heureuse d'attendre un bébé de toi, je commence à comprendre des choses que j'ignorais, et tout ça c'est à toi que je le dois, à toi qui m'as tout appris, avant je n'existais pas.

... J'ai pris un bain et Nicolas n'était pas content d'être sous l'eau, alors il m'a fichu plein de coups jusqu'à ce que je sorte de la baignoire... Il est temps que tu reviennes pour le reprendre en main...

Et dans la lettre suivante elle s'émerveille :

... Tu remues dans mon ventre, tu me fais mal à travers Nicolas, tu existes par lui...

Jamais, au grand jamais, il n'est question dans cette correspondance d'une quelconque aversion pour Nicolas ni d'avortement clandestin. Chaque jour je la voyais radieuse, souriante, épanouie. Bien sûr, elle traversait les affres habituelles des femmes enceintes : vomissements et nausées. Mais ni plus ni moins que beaucoup d'autres futures mamans.

Elle ment lorsqu'elle assène : « Je n'aimais pas assez Jacques pour envisager de faire ma vie avec lui. » Ne m'avait-elle pas supplié à genoux de venir habiter avenue Paul-Doumer ? Elle me jurait chaque jour devant Dieu que j'étais sa passion, l'homme de sa vie. Elle ne se contentait pas de le dire en privé, elle le clamait à chaque reporter qui lui tendait un micro. Et elle ne se privait pas de me l'écrire.

Rien au monde ne compte pour moi en dehors de NOUS (souligné). *Que sans ton amour et ta présence et ta chaleur tout est gris, laid, sale et que mon métier, que pourtant j'adore, me paraît si con, si vide, si rien quand tu n'es pas là ! Je n'ai pas envie d'être célèbre ni riche. J'ai furieusement envie d'être ta femme, ta môme, de vivre et de mourir, de rire et de pleurer pour toi par toi, sans que rien d'autre au monde ne compte plus.*

Et dans une autre lettre :

... Tu es ma vie. Je te donne ma vie entière sans restriction. Je t'aime, on ira faire le tour du monde mille fois si tu veux.

Les affirmations de Brigitte se heurtent à de trop nombreuses contradictions. Avec une grande habileté, elle ne cherche d'ailleurs pas à les nier. Elle devance les réticences de ses lecteurs en faisant mine de passer aux aveux : « J'ai toujours été en perpétuelle contradiction avec moi-même. » Voilà sans doute ce que l'on appelle un doux euphémisme... mais depuis quand suffirait-il d'avouer ses « contradictions » pour s'absoudre de leurs terribles conséquences ?

Comment ne pas s'apercevoir que ces fameuses vérités paradoxales revendiquées ne sont rien d'autre que le résultat d'une version tronquée ? Lorsqu'on récrit l'histoire à sa guise, elle finit tôt ou tard par vous rattraper et par se venger en laissant apparaître d'énormes incohérences. Lorsqu'on enterre un cadavre sous la neige, dit un proverbe, il réapparaît au printemps...

Brigitte précise que son caractère provoque en elle des « hésitations », des « terreurs », des « angoisses ». « Drôle de caractère, pas facile à vivre, ni pour les autres, ni pour moi-même. » Pourquoi ne pas croire Brigitte lorsque, par mégarde, elle laisse échapper un souffle de vérité ?

Après la publication du livre de Brigitte, Leslie Bedos écrivit dans *VSD* : « La dame ne livre que ce qu'elle a en boutique, des extraits minables qui sentent la vieille serpillière. D'un enfant, le sien, elle donne tout, l'imperméable ouvert sur un odieux spectacle. Accroche-toi petit Nicolas, ta mère a juste oublié de faire le tri dans ses affaires sales. Du bidet de la salle de bains, où, juste après l'amour fait en pensant à toi (trente secondes, pas plus !), elle espère te voir disparaître, elle ne t'épargnera rien. Elle est dure, tu sais. Elle croit même qu'elle va t'avoir à l'usure, et tout ça c'est écrit noir sur blanc. Comme la morphine et le Gardénal, pour en finir définitivement avec toi... Même que tu vas lui faire la suprême des vacheries : naître... Oui elle a écrit tout ça et d'autres horreurs aussi. »

*

* *

Fin mai 1959, Toty, la mère de Brigitte, n'a aucun mal à nous convaincre de régulariser notre situation. En bonne gardienne de la morale, elle tient à ce que sa fille se marie. L'union libre ne se pratiquait pas beaucoup chez les bourgeois. Par ailleurs, et malgré l'évolution des mœurs, il était impensable que Brigitte Bardot, la star emblématique, puisse devenir une fille-mère, un terme qui avait encore cours à l'époque. Depuis, les mentalités ont bien changé : il n'est pas rare de voir des actrices « faire un bébé toutes seules », sans que ce choix choque grand monde.

Seulement nous ne sommes pas à la fin du siècle, mais en 1959. Nous prenons date : il est décidé que la cérémonie de mariage aura lieu le 18 juin à Louveciennes, où les parents de Brigitte possédaient une maison de campagne. Nous préférons ce village tranquille des Yvelines à l'ambiance trépidante de Saint-Tropez. Car nous souhaitons que notre mariage soit célébré dans la plus stricte intimité.

Hélas, le matin du grand jour, nous nous apercevons rapidement que l'information a été ébruitée. Une centaine de photographes et de journalistes se pressent devant la mairie dont l'accès devient impraticable. Une employée municipale a vendu la mèche en échange de quelques billets de banque... Nous imaginions passer une journée en famille et soudain nous réalisons que nous courons droit à la foire d'empoigne.

Face à cette meute qui nous attend, Brigitte panique et voit rouge. Il lui paraît impensable de se marier dans ces conditions ! Son père essaie de la raisonner. En vain. Au lieu de la calmer, ses arguments ont le don de lui faire friser la crise de nerfs. On lui a gâché son mariage, elle ne passera pas devant monsieur le maire, un point c'est tout ! Elle souhaitait une cérémonie romantique, elle est encerclée de paparazzi, elle n'ira pas !

Brigitte s'est enfermée à double tour dans une salle de bains de la maison, elle ne veut plus voir personne.

Qu'à cela ne tienne. Je patiente dans un transat, en attendant que l'orage passe. Habitué à ses sautes d'humeur intempestives, je jette un coup d'œil goguenard à ma montre. Je glisse à l'oreille de mon frère : « Je prends les paris, avant dix minutes, elle sera là. » Ma prédiction se révèle exacte. Dix minutes plus tard, elle réapparaît, plus charmante et détendue que jamais. Séduisante à souhait, elle porte une ravissante robe à carreaux rose et blanc sur un corsage de dentelle, confectionnée par une boutique de Saint-Germain-des-Prés. Cette robe est d'une simplicité désarmante, mais portée par Brigitte Bardot le jour de son mariage : il n'en faudra pas plus pour lancer la mode vichy dans tout l'Hexagone et bien au-delà.

Après avoir affronté de multiples bousculades, nous réussissons à nous marier dans un brouhaha indescriptible. Il est onze heures trente. À la sortie de la mairie, nous sommes salués par une ovation délirante, sous le crépitement de centaines d'appareils photo. Nous nous frayons un passage pour aller déjeuner chez les parents de Brigitte, où des tables en rotin ont été installées dans le jardin. Et la fête peut enfin commencer, sous un soleil radieux.

Dans son livre, Brigitte conclut ainsi cette journée épique : « Je m'en souviendrai du jour de mon mariage ! Mieux vaut encore rester vieille fille, fille-mère, mère d'enfant, merde enfant. »

Le jour de son deuxième mariage, pourtant, il y avait bien longtemps qu'elle avait enterré sa vie de jeune fille. Pour le reste, c'est plus fort que moi, je n'ai jamais apprécié les calembours scatologiques.

Pendant ce temps-là, à Paris, un grand homme faisait grise mine. Le général de Gaulle aurait pu prendre ombrage du retentissement médiatique donné à notre mariage. Nous étions le 18 juin, date anniversaire du fameux appel de Londres...

*
* *

Dès le lendemain, en effet, la presse ne parle plus que de l'événement Bardot-Charrier.

Un journal malicieux, *Paris-Jour*, écrit : « Bardot est une enfant, mais qui aime trop jouer avec les allumettes de l'amour. Elle a besoin d'être constamment enveloppée dans une ouate de tendresse, elle ne supporte pas de rester seule une minute. Il semble que Brigitte ait cette fois-ci eu besoin de se fixer. C'était la revanche de son éducation bourgeoise. À vingt-cinq ans, elle commençait déjà à avoir peur de la vieillesse. Pour ne pas être un jour une vieille star désargentée et amère, oubliée par ses anciens adorateurs, rien ne vaut un mari, un ménage bourgeois... et un enfant. »

En cette fin de printemps 1959, la grossesse de Brigitte reste encore ignorée de la presse. Ce journaliste se contente d'émettre un vœu pieux lorsqu'il écrit : « Un enfant, pour Bardot, serait l'ancre de sûreté de cette vedette trop ballottée par les flots du désir et du succès. »

Nous décidons de passer notre lune de miel à Saint-Tropez.

Quelques jours plus tard, nous donnons une interview pour *Ciné-Revue*. Puisque Brigitte connaît le journaliste, nous pouvons parler en toute confiance. Ce privilège nous donne droit à un reportage d'une niaiserie attendrissante :

« – Avec Jacques, on ne se séparera pas, carrière ou pas. On ne se quittera pas pour aller, l'un en Patagonie tourner un film avec des phoques *(sic)*, et l'autre aux Indes pour dompter des éléphants.

« – Ce sera toujours comme ça, confirme Jacques un peu plus tard. Quand un maire vous dit que la femme doit suivre son mari, c'est sérieux, non ?

« – Et c'est vrai pour le mari aussi, ajoute Brigitte. Faut que tu me suives partout !

« Cette promesse est dans leur idéal : ne pas se quitter. Et Brigitte renchérit :

« – Si on s'est mariés, c'est pour avoir des enfants... On le répète partout sur tous les tons : des enfants, des petits dans la maison, pour qu'on les regarde et qu'on les aime. Et qu'on s'aime encore plus.

« Brigitte et Jacques sont des romantiques. Ils vivent dans ce siècle par hasard. »

Romantiques et bien décidés à pousser la chansonnette jusqu'au bout, comme le prouve cette interview de *Sonorama*, retrouvée dans mes cartons :

Le journaliste : – Pourquoi avoir fait un mariage si inopiné ?

Brigitte : – On a simplement essayé de se marier discrètement, comme tout le monde.

Jacques : – Oui, notre idée était de se marier dans l'intimité.

Le journaliste : – Croyez-vous, Brigitte Charrier, que la femme doit entièrement obéissance à son mari ?

Jacques : – Je réponds « non » !

Brigitte : – Je crois que si on aime on obéit.

Le journaliste : – Est-ce que la femme doit suivre son mari partout ?

Brigitte : – Oh oui ! Moi, j'ai bien l'intention de suivre mon mari en tout cas.

Le journaliste : – Charrier, vous êtes d'accord ?

Jacques : – Mais bien entendu !

Brigitte : – On va essayer de faire tout ce qu'on peut pour se séparer le moins possible. Surtout que dès qu'on va être séparés, comme les gens ont plutôt tendance à tout salir, on va aussitôt nous inventer un divorce en perspective, ou des idylles à chacun. Alors il vaut mieux qu'on ne se sépare pas ou le moins possible [...].

Le journaliste : – Les jeunes mariés en général parlent d'enfants. Est-ce que vous aimeriez avoir des enfants ?

Brigitte : – Oui, moi j'aimerais beaucoup.

Le journaliste : – Garçons ou filles ?

Brigitte : – Les deux !

Le journaliste : – Combien d'enfants ?

Brigitte : – Je ferai ce que je peux *(elle rit)*.

Le journaliste : – Et vous aussi, Charrier ?

Jacques : – Mais bien entendu.

Le journaliste : – Garçons ou filles ?

Jacques : – Garçons *et* filles !

Le journaliste : – Les prénoms ?

Brigitte : – On ne sait pas ! On n'a pas encore cherché, on n'en est pas là.

Ma réponse à Brigitte Bardot

Brigitte savait bien qu'on en était là puisqu'elle était enceinte de trois mois et que nous avions déjà choisi le prénom de notre enfant...

6

Une grossesse mouvementée

Fous donc B.B. dans ta chanson
Ça f'ra chanter tous les couillons.

Léo FERRÉ, *Les Temps difficiles.*

Mon mariage fracassant avec Brigitte, sa grossesse précoce et notre lune de miel n'empêchaient pas ma carrière de suivre son cours normal. Les propositions affluaient pour le cinéma. J'en avais répertorié sept.

J'avais notamment été contacté par Michelangelo Antonioni, mais j'avais déjà signé un contrat pour tenir le rôle principal dans le film de René Clément *Plein Soleil* et je m'estimais comblé. L'échéance approchait d'ailleurs à grands pas. Courant août, je devais me rendre à Ischia, une île au large de Naples, pour tourner les premières scènes d'un psychodrame qui se déroulait en mer, sur un voilier.

Brigitte et moi avions juré de nous quitter le moins possible. Comme j'avais quelques semaines libres avant de m'embarquer pour l'Italie, tout naturellement j'accompagnai ma jeune épouse sur le tournage de *Voulez-vous danser avec moi ?* réalisé par Michel Boisrond. Brigitte avait pour partenaires Henri Vidal, Dario Moreno, Philippe Nicaud et Serge Gainsbourg.

Au mois de juillet 1959, la violence éclate en France. La guerre d'Algérie s'exporte et traverse la Méditerranée. Des attentats ensanglantent la métropole, essentiellement dans les grandes villes, une psychose commence à s'installer.

L'équipe du film se déplaça de Paris vers la Côte d'Azur. La production loua pour Brigitte une superbe maison au Gros de Cagnes-sur-Mer. En ma qualité de prince consort, j'étais heureux de me retrouver dans cette ambiance de vacances. Dans la journée, j'allais explorer la région, tandis que Brigitte se rendait aux studios de la Victorine. Avant de partir, elle se serrait le ventre avec une ceinture afin de cacher sa grossesse. Car elle disait ressembler à un « polochon serré par le milieu ». Pourtant elle n'était enceinte que de trois mois.

Comme le laissait supposer le titre de son film, elle devait tourner de nombreuses scènes de danse, un exercice peu conseillé dans son état. Professionnelle et appliquée, elle faisait preuve de beaucoup de courage. Mais le soir, lorsqu'elle rentrait du tournage, elle manifestait de sérieux signes de fatigue. Elle se plaignait de vertiges et de vomissements qui l'immobilisaient entre les prises. Plus les jours passaient, plus ces symptômes la déprimaient. Un jour, elle me parut encore plus désespérée que d'habitude :

– Cet enfant va me rendre laide, je vais être déformée, je vais devenir immonde. Je ne pourrai plus faire de cinéma. Et en plus, tu vas me quitter pour faire ce film en Italie. Je ne pourrai pas vivre sans toi !

Elle semblait à la fois sincèrement triste et inquiète. Elle vint alors s'asseoir sur mes genoux et m'implora :

– Tu ne peux quand même pas laisser ta petite femme toute seule. Donne-moi une vraie preuve d'amour ! Celle que j'attends ! Ne pars pas ! Je t'en serai reconnaissante toute ma vie ! Je t'en supplie, ne pars pas là-bas !

– Allons, Brigitte, j'ai signé ce contrat. Tu sais combien je tiens à ce film. Et il n'est pas question que je laisse tomber René Clément !

– Je sais, c'est un gros sacrifice que je te demande ! Un sacrifice aussi gros que l'amour que j'ai pour toi !

J'étais désemparé.

Dans ma tête résonnait le serment qu'elle m'avait fait quelques semaines plus tôt, juste après notre mariage : « Nous allons privilégier notre couple et essayer de nous quitter le moins possible. » Certes, je ne demandais pas autre chose que d'entourer la future mère de mon enfant. Pourtant, je ne pouvais pas envisager de renoncer au rôle en or qui s'offrait avec *Plein Soleil.* Aucun acteur digne de ce nom ne serait délibérément passé à côté d'une telle consécration. Sans compter que j'étais lié par mon contrat...

J'ai pris le temps de la réflexion, puis je me suis entendu dire :

– Si c'est une preuve d'amour que tu attends de moi, tu l'auras. Je suis prêt à abdiquer pour rester auprès de toi. Mais tu sais que c'est le plus grand sacrifice que je puisse faire pour notre bonheur...

Elle m'a sauté au cou puis m'a baisé les pieds en me jurant que j'étais le plus merveilleux des hommes, qu'elle m'aimait et m'aimerait jusqu'à la fin des temps... Ce jour-là, Brigitte semblait si heureuse que je ne regrettai pas une seconde mon renoncement.

Je ne réalisais pas à quel point cette décision marquerait un tournant dans ma carrière.

Restait à trouver une justification à ma dérobade. J'ai pris rendez-vous dans une clinique pour subir une opération de l'appendicite, et j'ai immédiatement télégraphié à la production pour annoncer que j'étais dans l'incapacité physique de me déplacer. Nous étions alors à quelques jours du début du tournage. Le producteur était affolé. Il lui fallut trouver un comédien pour me remplacer au pied levé. Alain Delon fut retenu. En fait, les acteurs vedettes permutèrent leurs rôles : Alain Delon prit le rôle principal – le mien – et Maurice Ronet celui d'Alain. Ce dernier n'a d'ailleurs jamais oublié cette fleur involontaire que je lui faisais. Chaque fois que je le croise, il ravive ce souvenir d'un complice « merci, Jacques ! ».

Mais ma défection de dernière minute ne fut pas seulement une déconvenue professionnelle. Elle me valut un long procès ainsi qu'une mauvaise presse dans le Landernau de la profession. J'ignorais si Brigitte avait vraiment mesuré les conséquences de mon abnégation.

On peut en douter, lorsque dans son livre elle évoque ainsi mon « appendicite » : « Sitôt rétabli, Jacques devait retrouver René Clément et Alain Delon pour tourner *Plein Soleil*... Il décida de profiter de son état pour faire annuler son contrat de *Plein Soleil.* » Brigitte joue la vérité dans le désordre. À l'entendre, les caprices de mon intestin auraient pesé davantage que les supplications de ma tendre épouse...

Le sacrifice ! J'ai parfois l'impression d'avoir grandi avec ce mot dans la bouche. En bon héros romantique ! Et je suis tombé dans le panneau à pieds joints. Je croyais préserver l'harmonie de notre couple, et je ne faisais que scier la branche de l'arbre sur laquelle j'étais, passant ma carrière d'acteur au fil de l'épée.

Non seulement ce sacrifice était incongru, mais il allait s'avérer complètement inutile.

Comment n'ai-je pas senti que si je voulais avoir une chance de conserver Brigitte, je devais précisément lui tenir tête ? Et refuser de lui donner une preuve d'amour qui n'avait qu'une valeur de test, et qui n'était rien d'autre qu'un odieux chantage !

Par la suite, Brigitte devait elle-même reconnaître – en privé ! – qu'elle avait commis une « erreur monumentale » en me forçant la main pour abandonner *Plein Soleil.* Car, disait-elle, ce film m'aurait donné la « possibilité de me retrouver sur un pied d'égalité » avec elle. Dans son jugement à l'emporte-pièce, Brigitte n'a pas compris que je n'ai jamais joué les challengers de cet acabit : je préférais de loin réussir ma vie d'homme, de mari, de père de famille, plutôt que d'endurer comme elle une existence de star exploitée, entourée de parasites et de vils flatteurs.

*

* *

Pourtant, en ce début d'août 1959, je pouvais penser que j'avais fait le bon choix. La santé de Brigitte s'était améliorée, nous avons passé quelques semaines merveilleuses. Mais ce répit n'eut qu'un temps : un beau matin, bonjour l'angoisse ! Sa joie avait fondu comme neige au soleil. Elle était ravie que je ne parte pas en Italie, mais elle vivait très mal sa grossesse sur le plan psychologique. La conversation revenait sans cesse sur le tapis. Il est tout à fait légitime qu'une femme enceinte se pose des questions sur le mystère de la vie. Mais chez Brigitte, cette inquiétude n'était pas métaphysique. Les petits soucis des premiers temps se transformaient en un chapelet de lamentations. Elle se détaillait dans tous les miroirs et la même rengaine revenait :

– Tu ne sais pas ce que c'est que d'avoir des vergetures, toi ! Et mon ventre ! J'ai l'impression qu'il va toujours rester gros ! Et mes seins qui gonflent ! Pourquoi, Jacques ? Pourquoi a-t-on fait cet enfant ? Est-ce qu'on n'était pas plus heureux avant ?

Je lui rappelais que des centaines de millions de femmes enfantaient chaque année dans le monde, que leur transformation physique n'avait rien de dramatique ni de définitif. De l'accessoire au regard de l'événement exceptionnel qu'elles vivaient : elles allaient mettre au monde un enfant issu de leur chair et de leur sang !

Mais j'avais beau tenter de calmer Brigitte, ses jérémiades se faisaient de plus en plus insistantes. Elle avait quitté la vie en rose de notre bonbonnière pour se perdre dans une nuit noire. Pour un peu, elle aurait réussi à me culpabiliser : n'étais-je pas coupable d'avoir déformé le corps de « la plus belle actrice française » ? J'ignorais encore qu'en coulisse son entourage continuait de la harceler, aggravant ainsi son état dépressif.

*
* *

Plus je réfléchissais, plus je me persuadais que Brigitte avait besoin d'oublier sa grossesse et les menaces imaginaires que celle-ci faisait peser sur sa carrière. Il fallait l'occuper coûte que coûte afin de la rassurer. « Le meilleur moyen de sauver la situation est encore qu'elle travaille », ai-je conclu.

Le ciel a dû m'entendre car, à ce moment-là, Henri-Georges Clouzot lui a proposé de jouer dans le film *La Vérité*. Elle prétend qu'à cette annonce, je me serais levé « la mine fermée, les poings serrés ». J'aurais pris à partie son imprésario : « C'est moi qui dorénavant déciderai de ce que ma femme tournera ou ne tournera pas ! Or je n'ai plus envie qu'elle tourne, il faudra qu'à l'avenir elle s'occupe de son bébé. Ce film est le dernier que je l'autorise à faire. »

Ce scénario fantôme ne tient pas debout ! Au contraire, à cette époque tourmentée, je répète que je ne désirais rien de plus que de voir Brigitte se mobiliser autour de projets professionnels pour se changer les idées. J'avais d'autant plus de raisons de me réjouir que Clouzot était un ami, et un réalisateur de talent – ce dont elle n'avait pas toujours bénéficié, loin s'en faut.

En outre, je ne me reconnais absolument pas dans la description de l'époux autoritaire et macho : n'avais-je pas cédé à la moindre de ses exigences, allant même jusqu'à compromettre ma carrière ? Plus tard, son secrétaire attribua publiquement l'échec de notre couple au fait que j'avais le « défaut des jeunes maris » : j'étais trop doux, pas suffisamment « directif » alors que Brigitte avait besoin d'être « prise en main »...

Jamais il ne me serait venu à l'idée de mettre un terme au succès du mythe. Je pense qu'aucun de ses maris n'aurait sereinement envisagé d'atteler Brigitte derrière ses fourneaux ou à la nursery. De toute façon, la solution était beaucoup plus simple ! Une actrice, aussi bonne mère soit-elle, peut disposer de personnel pour s'occuper des enfants et de l'intendance de la maison. Brigitte serait aidée autant que l'on pouvait l'être pour reprendre son travail dans les meilleures conditions et les plus brefs délais.

Toujours dans son livre, Brigitte poursuit : « Comment ce petit mec, que j'entretenais pardessus le marché, pouvait-il tenir des propos pareils à mon imprésario ? » Parce que Bardot, si près de ses sous, m'aurait entretenu ? Allons donc ! La vérité est tout autre, et je vous la soumets dans tout son prosaïsme : depuis toujours, mariage ou pas, nous étions convenus de partager les frais communs, eau, électricité, et taxes diverses. Brigitte se livrait même à de savants calculs pour me présenter la facture mensuelle, me demandant au centime près une quote-part, y compris pour les pâtées des chiens. Comme elle était propriétaire de son appartement, elle avait institué le loyer conjugal que je devais lui régler rubis sur l'ongle, de la main à la main.

Mais revenons à son invraisemblable récit. Voilà qu'il me fait agresser Olga, son imprésario : « Jacques se précipita sur elle, l'attrapa à la gorge et hurla : "Je suis son mari, vieille maquerelle, c'est moi qui décide maintenant et ce sera non et non, fini la poule aux œufs d'or, fini, fini, fini." »

Il ne manquait plus que cet épisode brutal pour me faire passer pour l'Étrangleur de Boston ! Est-il encore besoin de préciser que ni ce comportement violent ni ce vocabulaire de charretier ne me ressemblent ? Mes amis et mes intimes savent que je suis un homme discret, tranquille et que j'ai même une sainte horreur des conflits. Si j'avais eu besoin de mettre les choses au point avec Brigitte, j'aurais attendu pour le faire d'être en tête à tête.

Et Brigitte ne s'arrête pas là ! Il lui faut son règlement de comptes, un bras de fer sanglant : « J'aurais volontiers tué cette espèce de macho à la petite semaine... Ce fut le début d'un pugilat sans nom, un défoulement trop longtemps rentré de part et d'autre, une mise au point violente, incontrôlée, incontrôlable où les gestes et les mots dépassaient les limites permises. Un de nous deux était de trop sur cette terre, dans cette maison, et devait disparaître à jamais. Je le haïssais, je me haïssais de l'avoir épousé, de porter un enfant de lui... » La scène fut si terrible, selon elle, qu'il aurait ensuite fallu lui administrer des piqûres anti-spasmodiques pour éviter la fausse couche. Quelle sorte d'individu serais-je pour battre comme plâtre la femme qui portait mon enfant ! Accusation aussi ignoble qu'invraisemblable... Et, au fait, ces prétendues piqûres anti-fausse-couche, elle les aurait donc acceptées ? Elle qui, d'après son récit, ne rêvait que d'avorter... Voilà qui est peu logique.

Mais pourquoi Brigitte s'acharne-t-elle à falsifier notre histoire, à me présenter sous un jour monstrueux et sordide ? Préparez vos mouchoirs ! La suite va vous tirer les larmes. Brigitte prend les devants pour justifier notre rupture : « Vous voyez bien que j'ai eu raison de ne pas être gentille avec lui plus tard, car ce "petit mec" se comportait avec moi comme une véritable brute », semble-t-elle expliquer.

Aujourd'hui, en comparant ses écrits à la réalité, je suis partagé entre l'indignation et la pitié. Indigné devant la cruauté de ses mensonges. Et pris de pitié en songeant que, sans doute, et définitivement, Brigitte Bardot n'est pas faite pour le bonheur.

Quelque part dans ses « mémoires » singulièrement défaillantes, le lecteur trouvera ces lignes empreintes de lucidité : « Peut-être certains d'entre vous en me lisant hausseront les épaules, me trouvant stupide, légère, lâche, gâtée... » Comme quoi la vérité finit toujours par sortir du puits, aussi boueux soit-il.

*
* *

Jusqu'alors, nous avions réussi à garder secrète la grossesse de Brigitte vis-à-vis des médias. Mais en tournant la dernière scène de *Voulez-vous danser avec moi ?*, elle fut prise d'un profond malaise. Le lendemain, la presse s'interrogeait : « B.B. serait-elle enceinte ? »

En cette fin d'été 1959, André Darrigade devient champion du monde cycliste sur route, et le général de Gaulle part en Algérie faire la « tournée des popotes ».

À son retour en métropole, il propose de soumettre le sort de l'Algérie à l'autodétermination. Mais les partisans de l'Algérie française ne l'entendent pas de cette oreille.

*
* *

Un jour, je croisai Marcel Pagnol sur le marché de Cagnes-sur-Mer. Gentiment, il me proposa de venir dîner chez lui avec mon épouse, dans un mas de l'arrière-pays.

Lorsque j'en parlai à Brigitte, elle me répondit aussi sec :

– Pourquoi est-ce que j'irais m'emmerder chez ce vieux con ?

Rebelle au genre humain dans sa totalité, elle n'était absolument pas sensible à l'honneur de rencontrer des personnages qui sortaient de l'ordinaire. Elle baignait dans une cour qui s'était bâtie autour de son nombril, si je puis dire. Elle pouvait y échanger à loisir des cancans et vitupérer les gens du métier : elle était sûre d'être écoutée. Bref, Brigitte était une midinette qui se complaisait dans un univers superficiel et falsifié.

Je suis allé seul dîner chez Marcel Pagnol.

*
* *

Le tournage de *Voulez-vous danser avec moi ?* était terminé. Nous avions décidé de partir nous reposer une semaine à la Madrague lorsqu'un matin, au courrier, j'ai reçu ma feuille de route pour rejoindre mon affectation au 11e cuirassé d'Orange.

Je ne peux pas dire que j'étais fou de joie. À l'époque, le service militaire n'était pas un « rendez-vous citoyen » de quelques jours. Il fallait tenir trente-deux bons mois, presque trois ans sous les drapeaux ! La guerre d'Algérie aidant, les jeunes appelés risquaient fort de ne pas les passer à éplucher des patates ou à promener Mme la générale. Et il ne suffisait pas d'avaler son tube de dentifrice ou de simuler une crise d'épilepsie pour se faire réformer ! Quant à l'objection de conscience, inutile d'y songer : elle était sanctionnée par dix ans de prison.

Je redoutais cette convocation depuis trois ans. Elle marquait la fin d'un sursis que j'avais obtenu en 1956. Après avoir lu le document, Brigitte a blêmi, et, pathétique, a lancé :

– Comment ! Je suis enceinte de toi, mon enfant va naître ! Et tu veux m'abandonner ! C'est épouvantable !

Elle tournait en rond dans sa chambre, se prenait la tête entre les mains, levait les bras au ciel, distribuait des coups de pied dans les meubles. Elle brisa même un vase avant d'aller s'asseoir, recroquevillée au pied du lit.

Durant de longues minutes, elle resta silencieuse. Je ne savais plus que dire ni que faire. J'attendais qu'elle se calme. Puis, dans un sanglot, elle m'avoua qu'elle avait vécu la même tragédie avec un ancien fiancé, Jean-Lou (Trintignant), en 1956. Elle en avait assez que l'armée lui prenne « ses hommes ». Elle hurla :

– J'en ai marre ! Marre de ces cons de militaires ! Marre de ce pays de cons ! Je vais écrire à de Gaulle !

Je lui laissai entendre que le Général avait probablement d'autres chats à fouetter et que, à l'instar des jeunes Français, je devais remplir mon devoir civique. Mais Brigitte ne l'entendait pas ainsi. Sa rage redoubla :

– Et ton père ? Il est colonel, non ? Il peut intervenir !

Je lui expliquai que mon père n'avait rien à voir dans cette affaire. En tout état de cause, j'étais bien mal placé pour solliciter un « piston » d'aucune sorte : un fils d'officier avait l'obligation morale d'effectuer son service.

À bout d'arguments, Brigitte me lança alors une menace qui me laissa abasourdi :

– Si tu pars, je me tue avec l'enfant ! Il n'est pas question que je reste seule à t'attendre pendant trente-deux mois !

Je restai sans voix. Fallait-il prendre le chantage au sérieux ? Brigitte était dans un tel état d'hystérie que je pris peur. Je tentai de la raisonner : non, je ne l'abandonnais pas, mais la France m'appelait comme elle appelait des milliers d'autres jeunes gens de mon âge.

Je me sentais pris au piège. D'un côté, je ne pouvais pas échapper à mon incorporation, sauf à me mettre hors la loi ; de l'autre, je ne pouvais pas rester sourd à l'avertissement de Brigitte. Je savais que pour un mauvais caprice elle était capable de mettre en péril sa vie et celle de notre enfant.

Nous étions en plein drame.

Je passai les jours suivants sous la torture. Je ne savais quel parti prendre. Brigitte alternait les reproches et les instants émouvants où elle me parlait de l'enfant qui allait naître. Puis, selon sa bonne vieille pratique de la douche écossaise, elle repartait dans une crise encore plus virulente. Elle vivait sa grossesse comme un supplice chinois. Obsédée, elle comptait les jours, les semaines, les mois qui la séparaient de l'accouchement. Prostrée sur une chaise, elle lançait sa flèche empoisonnée :

– Si tu m'abandonnes, je me tue avec l'enfant.

En clair, partir serait me rendre coupable de non-assistance à personne en danger. Elle me mettait le couteau sous la gorge, m'acculant au sacrifice sur l'autel du devoir d'état. Si je lui résistais, j'étais un criminel en puissance, coupable d'infanticide. Je finis par la convaincre de patienter quelques semaines : dossier médical à l'appui, j'avais bon espoir d'être réformé...

La mort dans l'âme de la laisser seule à son désespoir, je partis fin septembre à Orange pour être incorporé au 11e cuirassé. Ironie du sort, les murs de France étaient couverts d'affiches de *Babette s'en va-t-en guerre* : je m'y voyais en fringant lieutenant dans les bras de ma belle, alors que je partais porter l'uniforme de deuxième classe, loin de ma femme.

Dans le train, j'ai ouvert une lettre qu'elle avait glissée dans ma poche juste avant le départ. Elle m'avait fait jurer de la lire une fois seul. À travers la fenêtre je voyais défiler un paysage d'automne aux couleurs mordorées.

Mon bel amour. Je me suis arrêtée de vivre, les gens sont des monstres, la société est une merde. Je les hais ! Je réalise mal que tu ne rentreras pas ce soir dormir dans mes bras. Je me rends compte à quel point tu remplis ma vie, et en réfléchissant à tout ce qui nous unit j'en suis affolée de joie car on s'aime vraiment, on connaît le vrai amour et je ne supporterai jamais d'être séparée de mon amour durant trente-deux mois. Toi seul sais de quoi je serais capable si ces monstres nous séparaient si longtemps.

Malgré leur ton dramatique, ces lignes me donnèrent un coup de fouet au moral. J'y puisai la force de me battre contre le destin qui nous séparait.

Arrivé à la caserne, je reçus mon paquetage. Le lendemain, les recrues au grand complet devaient passer la visite médicale d'usage. Je me présentai, muni de mon dossier médical que j'avais enrichi de nouvelles pièces, remontant à l'époque où je vivais à Strasbourg. Je souffrais alors de rhumatisme articulaire aigu, maladie soignée à l'aide de salicylate de soude, car le médicament miracle, la cortisone, n'était pas encore sur le marché. À l'âge de quinze ans, j'avais été hospitalisé plusieurs mois, et on m'avait découvert, en prime, un souffle au cœur.

Tous ces éléments figuraient dans le dossier que j'ai remis au médecin-capitaine. Il l'a examiné avec attention. Puis il m'a ordonné de rejoindre l'infirmerie pour une mise en observation. J'y suis resté deux jours pendant lesquels j'ai subi divers examens de contrôle.

Pendant ce temps, une formidable campagne de presse s'est déclenchée contre moi. Les médias s'en donnaient à cœur joie : « Jacques Charrier ne supporte pas la vie militaire ! Charrier, tire-au-flanc ! Charrier, mauvais Français ! L'exemple à ne pas suivre pour notre jeunesse ! » Un journal prétendait que j'allais bientôt craquer, au bord de la dépression nerveuse. Un autre n'hésitait pas à rapporter le récit imaginaire de bagarres avec mes camarades de chambrée, sous prétexte qu'ils auraient exhibé devant moi des photos de B.B. nue. Grotesque ! Les bidasses ressentaient aussi le déchirement de quitter leur famille. Comme moi, ils s'interrogeaient sur le bien-fondé d'une guerre fratricide qui ne disait pas son nom : on parlait encore de « maintien de l'ordre ». En fait, la guerre d'Algérie attendait son contingent de jeunes appelés. Cette perspective avait plutôt tendance à créer une solidarité.

Au bout des deux jours d'observation, j'ai quitté l'infirmerie. Catastrophe, mon dossier médical n'était pas considéré comme suffisant aux yeux des médecins ! J'allais devoir commencer mon instruction militaire. J'ai encaissé le coup tant bien que mal, mais les dés étaient jetés : j'étais condamné à porter l'uniforme pendant presque trois ans.

Et les menaces de Brigitte venaient m'assaillir :

– Si tu pars, je me tue !

*
* *

Quelques jours plus tard, coup de théâtre ! Tandis que je crapahutais sur le terrain de manœuvres, je suis convoqué toutes affaires cessantes dans le bureau du colonel. Je me mets au garde-à-vous.

– Je viens de recevoir un télégramme dont vous devez prendre connaissance, m'annonce-t-il, gêné. Votre femme est au plus mal. Elle a écrit qu'elle a l'intention de mettre fin à ses jours si vous ne rentrez pas sur-le-champ. Je suis humain, et je prends sur moi de vous donner une permission exceptionnelle de cinq jours pour aller rassurer votre épouse. Rompez !

J'étais mort d'inquiétude en pensant à Brigitte, qui en était à son sixième mois de grossesse ! J'ai pris le premier train. Le voyage me parut interminable.

Arrivé gare de Lyon, je m'engouffre dans un taxi qui me dépose avenue Paul-Doumer.

Ascenseur. Vite, je sonne à la porte. Et la voilà dans mes bras.

– Alors ?

– Alors quoi, ma chérie ?

– Tu es réformé ?

– Non ! Je n'ai p...

– Quoi ? Ton souffle au cœur n'a pas suffi ?

– Rien n'aurait suffi ! La France a besoin de tous ses hommes valides, figure-toi. Les idéaux de la République se défendent à coups de fusil.

Elle s'est laissée choir au sol, pétrifiée par cette décision sans appel.

Trois jours durant, nous goûtons l'ivresse de nos retrouvailles. Trois jours intenses. Merci, mon colonel ! Trois jours volés à la patrie. Mais le quatrième aurait pu être fatal. Voyez plutôt...

Nous profitons de ces courts moments pour filer à l'anglaise dans une auberge de Feucherolles, *Le Clos Saint-Antoine.* Brigitte rayonne dans tout l'éclat de sa plénitude. Promenades bucoliques, feux de cheminée, repos du guerrier...

Les cinq jours de permission tirent à leur fin. La veille de mon départ je vis l'une des heures les plus douloureuses de mon existence. Alors que je viens de régler la note de notre séjour, je découvre Brigitte gisant sur le sol de la chambre, livide et inanimée, un tube de barbituriques à la main ! Elle est passée à l'acte... Tétanisé, je demande à l'aubergiste de téléphoner de toute urgence à un médecin de confiance. Le docteur B. arrive aussitôt, et décide séance tenante de pratiquer un lavage d'estomac.

Quelques heures plus tard, encore sous le choc, je réalise la tragédie évitée de justesse. Et je ne pardonnerai jamais à Brigitte d'avoir risqué la vie de mon enfant.

Mais j'ignore encore que je ne suis pas arrivé au bout de mon calvaire. Brigitte s'est endormie, apaisée, le docteur me laisse à son chevet...

Elle se réveille comme sous l'emprise d'un démon. Telle une furie haletante, elle se débat et se frappe le ventre avec les deux poings. Instinctivement, je laisse partir une paire de gifles salvatrice. Si le docteur B. avait été là, il m'aurait sans doute approuvé. D'ailleurs, aussitôt, Brigitte sort de sa torpeur et vient se blottir entre mes bras.

Dans ses « mémoires », Mlle Bardot replace la « gifle » dans un contexte bien différent. J'aurais usé de ma force physique pour lui interdire de se rendre chez le coiffeur. À l'en croire, je n'y serais pas allé de main morte : « Ma tête alla cogner durement contre un placard et le fracassa, laissant une brèche dans une moulure. La puissance du choc me mit K-O quelques secondes et je tombai. » Allons bon, après l'Étrangleur de Boston, Cassius Clay ! Non, que le lecteur se rassure : Brigitte est effectivement tombée sur la tête, mais trente-sept ans plus tard, lorsqu'elle a pris sa plume assassine.

Mais revenons à nos moutons. Brigitte sur pied, nous quittons en toute hâte Feucherolles. J'ose croire qu'elle regrette son passage à l'acte et que, comme à son habitude, elle se confondra en excuses, jurant sur tous les saints qu'elle ne recommencera plus jamais, etc. etc. etc.

Mais non. La voiture a à peine démarré qu'à nouveau le maître-chanteur profère sa menace.

– Et cette fois-ci, je te promets que je ne me raterai pas, s'empresse-t-elle d'ajouter.

Me laisse-t-elle encore le choix des armes, alors qu'elle vient de me prouver qu'elle est capable du pire ? Ma décision est prise. Avant de servir la patrie, mon devoir m'impose de sauver la mère et l'enfant.

⋆

⋆ ⋆

Je ne repartirai pas à Orange. Quoi qu'il m'en coûte. Nous envisageons tous les scénarii possibles et imaginables. Après moult échafaudages, nous tombons d'accord sur la fausse tentative de suicide. Coutumière du genre, Brigitte me suggère d'avaler des cachets.

Mais ce mode d'emploi ne me satisfait pas. J'opte pour une solution qui me paraît mieux adaptée aux circonstances : je vais m'ouvrir les veines. Le tableau est pathétique. Comment en suis-je arrivé là ? J'aime la vie par-dessus tout, et même fictif, mon geste me semble totalement surréaliste.

Je ne réalise pourtant pas encore que je vais mettre le pied dans un engrenage infernal.

Comme un condamné en route vers le gibet de potence, je me dirige à pas lents vers la salle de bains. Je cherche une lame de rasoir, cette lame acérée par laquelle je vais risquer ma vie pour sauver celle de ma famille.

Lorsque je reviens dans le salon pour mettre à exécution ma promesse, Brigitte, probablement paniquée par la situation, est déjà en train d'appeler les secours au téléphone :

– Venez vite, mon mari a eu un accident ! Il va mourir !

J'ai l'impression que quelqu'un vient de me pousser dans le vide. A-t-elle téléphoné pour me forcer la main (le poignet en l'occurrence) ? Ou bien a-t-elle simplement eu peur que les secours ne soient pas là à temps ?

Pour le coup, la cavalerie risque d'arriver avant même que j'attente à ma vie. Je ne réfléchis plus, ma tête explose. Après tout, Brigitte a peut-être eu raison de précipiter les choses.

J'applique le tranchant de la lame froide et luisante sur mon poignet. Une fraction de seconde d'hésitation. Puis je donne un coup sec dans la chair. Aussitôt le sang se met à gicler. Un beau rouge, plus clair que je ne l'aurais pensé. Je répète le geste à l'identique sur l'autre poignet. Me voilà saigné aux quatre veines.

Je ne suis qu'un gamin de vingt-deux ans qui vient de commettre une erreur de jeunesse.

Le sang coule. Il n'arrête pas de couler le long de mes mains encore tremblantes. Mon cœur bat la chamade. Brigitte hurle : « Au secours ! » Je m'écroule par terre. J'entends la sirène de l'ambulance, puis des pas de course dans l'escalier. Semi-conscient, je perçois une agitation autour de moi. La tête me tourne. Je ne sens plus rien, mon corps se vide, comme liquéfié.

Comment accepter, trente-sept ans après un tel cauchemar, les lignes expéditives de Brigitte relatant notre séparation ? « Je regardais Jacques avec haine. J'attendais maintenant son départ pour l'armée, souhaitant qu'il y reste le plus longtemps possible et qu'il me foute la paix. »

Et je devrais la laisser dire ? La laisser réduire à néant une immolation à laquelle elle m'avait poussé ?

Je suis transporté d'urgence au service neurologique de l'hôpital militaire du Val-de-Grâce, où sont gardés sous étroite surveillance les individus jugés dangereux : il s'agit en fait du service psychiatrique de l'hôpital. Tel un prisonnier, je vais rester enfermé dans une cellule durant plus de trois mois, sanglé sur mon lit au moindre sursaut de révolte. Je dois me nourrir sans fourchette ni couteau afin d'éviter les risques de nouvelles tentatives de suicide.

En soudoyant un infirmier, je réussis à passer au travers des séances d'électrochocs. Quant aux sédatifs que l'on m'apporte, je les recrache discrètement.

Dehors, la presse ne me fait pas de cadeau. Je devais m'y attendre. Une campagne de calomnies se déchaîne contre moi. Coincé dans mon isolement, je ne peux pas démentir. De toute façon, je me vois mal organiser une conférence de presse pour exposer les vraies raisons de mon geste ! Leur expliquer que je suis un héros cornélien parce que j'ai voulu obliger les autorités militaires à me réformer et empêcher ainsi ma femme de se suicider avec notre enfant ? Avec de tels aveux, je serais bon pour le camp des déserteurs et des objecteurs de conscience. Et ce serait la prison assurée pour des années.

*
* *

Les visites ne sont pas autorisées au Val-de-Grâce. Pendant mes trois mois d'internement, Brigitte m'a adressé une trentaine de lettres. Je les ai conservées, puis oubliées, et retrouvées récemment au hasard d'un déménagement. Cette correspondance appartient à notre mémoire intime. Elle réfute la thèse machiavélique défendue par Brigitte – qui prétend qu'à l'époque elle ne me regardait plus qu'avec les yeux de la haine. Mais l'érosion du temps a dû faire son œuvre d'amnésie...

Ces pièces à conviction, toujours en ma possession, témoignent bien au contraire de l'amour qu'elle me portait, de son exaltation à partager un bonheur avec moi, de sa douleur face à notre séparation.

En les relisant, je ne ressens aucune nostalgie, mais une profonde amertume, car jusqu'aujourd'hui, je gardais secret le souvenir des souffrances que j'avais endurées pour elle, préférant ne retenir que la poésie de notre histoire d'amour.

Dans l'une de ces premières lettres, tout à sa colère, elle me prévient qu'elle va avaler la boîte de somnifères si on ne me laisse pas sortir immédiatement du Val-de-Grâce.

... Viens vite. Si je meurs loin de toi, tu les tueras tous, dis ? Je veux te voir, c'est une question de vie ou de mort.

Quelques jours plus tard, Brigitte met sa menace à exécution. Décidément, le couple Charrier-Bardot se suicide beaucoup ces temps-ci ! J'ignore cette nouvelle tentative mais là n'est pas le plus grave. Brigitte m'avoue se soulager de ses souffrances à l'aide de piqûres de morphine qui l'aident à « faire de beaux rêves ». Mon Dieu, elle était enceinte de six mois !

Le 6 novembre 1959, c'est mon anniversaire. J'ai vingt-trois ans ! Elle m'écrit :

... Mon moral c'est toi ! Sans toi je me fous de tous. À force de me droguer pour me faire tenir le coup, je suis totalement intoxiquée ! Pauvre Nicolas, il va naître et on va l'envoyer directement dans une clinique de désintoxication. (Nous ne connaissons pas vraiment le sexe de notre enfant, mais nous avions décidé depuis le début que ce serait un fils et qu'il s'appellerait Nicolas.) *Le médecin n'a pas encore compris que je vais devenir folle loin de toi et que ses médicaments n'y changeront rien. Je t'aime, je n'en peux plus. BON ANNIVERSAIRE, MON QUINET.*

Le 25 novembre 1959, Gérard Philipe s'éteint. Il n'a que trente-sept ans.

Alors qu'elle sort acheter un berceau pour Nicolas, Brigitte se sent photographiée. Elle se fâche, court après les indiscrets pour tenter de les rattraper.

... Si tu avais été là ! Toi tu me défends, tu me protèges. J'ai peur de mourir j'ai peur que tu meures. Je m'aperçois que je n'ai que toi au monde.

Brigitte se fait établir un nouveau passeport. Elle souligne, émerveillée, sa fierté de porter mon nom :

... J'ai un passeport tout neuf au nom de Mme Charrier. Je suis drôlement fière, c'est MOI Mme Charrier. J'ai envie de te voir vite, que tu me fasses rire. Oh oui, rire avec toi, s'amuser, oublier la civilisation et les sauvages qui nous séparent.

Une autre fois, il est deux heures du matin, Brigitte ne peut pas dormir. Elle m'écrit :

... J'ai le cafard d'être séparée de ma chair, du père de l'enfant que je porte, de mon ami, de mon amant. Je veux que tu saches que j'ai décidé que je ne tournerai en aucun cas Le Grand Dadais[1] *sans toi. C'est un film que nous ferons ensemble ou pas du tout. Je te le jure !*

Et plus loin encore :

... J'ai envie d'être propre, pure, belle, intouchable, irréprochable pour toi. Tu m'amuses, je ne m'ennuie pas avec toi. Tu es plein de fantaisie, c'est pour ça que tu me gardes si bien. Dieu, que je m'emmerde sans toi !

---

1. Film dans lequel nous devions jouer ensemble. Il a finalement été tourné sous un autre titre.

Si Brigitte ne peut pas me toucher, elle peut entendre ma voix sur les ondes radiophoniques. Durant mon enfermement, Europe 1 diffuse des poèmes que Lucien Morisse, directeur des programmes, m'a demandé d'enregistrer il y a quelque temps.

Un reporter, juché sur un toit, a réussi à me photographier au cours d'une promenade. Brigitte m'écrit qu'à la suite de ce reportage publié dans un hebdomadaire, elle reçoit des dizaines de messages de gens qui compatissent à mon triste sort. On me trouve l'« air d'un condamné à mort derrière ses grilles ».

Du fond de ma cellule, la lecture des lettres de Brigitte m'aide à tenir le coup :

... *Mon grand amour, mon éternel amour, je t'attends confiante, tu es tout tout pour moi... Tu illumines ma vie, tu es ma raison de faire n'importe quelle chose, même la plus folle. Je t'aime pour toujours, pour toujours... Tu es merveilleux, oh mon bel amour, j'ai tellement envie d'être heureuse avec toi. Ta petite fille fragile.*

Le lendemain me parvient un autre billet doux :

.... *Je te donne ma vie, mon corps, mon cœur, mon âme, je te donne mes yeux, je te donne mon amour, ma passion, ma tendresse, je te donne ma chair et je te jure de t'aimer toujours, même après ma mort. Je veux que tu le saches, que tu en sois sûr... Ta confiance me rend forte... Je suis tellement heureuse d'attendre un bébé de toi, je commence à comprendre des choses que j'ignorais et tout ça c'est à toi que je le dois, c'est toi qui m'as tout appris, avant je n'existais pas.*

Parfois, je me demande si Brigitte est au courant du fait que le courrier est visé par la censure militaire : les lettres étaient systématiquement ouvertes et lues avant d'être remises aux prisonniers. Ma pudeur m'interdit de livrer ici les passages les plus érotiques, mais certaines pages ont dû faire fantasmer plus d'un censeur...

... Tu es toute ma vie, dis-leur que je veux te voir, t'aimer... Je réfléchis à tout ce qu'on peut inventer, j'ai plein d'idées folles et bonnes. Je te montrerai ! Je suis coquine, tu sais, j'ai envie... Mets de côté tous les préjugés et les principes, imagine ce que je voudrais que tu inventes. Tu es ma joie.

*
* *

Un jour, par je ne sais quel miracle, Brigitte obtient un blanc-seing pour visiter son Monte-Cristo au secret. Mes geôliers ne nous avaient accordé qu'une soixantaine de minutes. Brigitte n'a pas pesté contre l'insalubrité des lieux. Elle s'est allongée sur la couverture de ma couche, et pendant une heure, je fus le prisonnier évadé jouissant de ses premiers ébats de liberté.

> « Tu es venu au cœur du désarroi
> Pour chasser les mauvaises fièvres,
> Et j'ai flambé comme un genièvre
> À la Noël entre tes bras. »

Ce court extrait d'*Elsa*, signé Aragon, semble avoir été écrit pour ce matin du 4 décembre 1959.

*
* *

Notre chronique amoureuse donna des idées à un publicitaire. Le groupe Perrier venait de faire l'acquisition de la source Charrier. À grand renfort de capitaux, une gigantesque campagne de promotion s'affichait sur tous les murs de France. Sous le slogan « Bébé aime Charrier », trônait un bambin assis à côté d'une bouteille d'eau minérale d'une « pureté sans égale ».

Dans le contexte de nos vies, le moment était particulièrement mal venu d'engager une quelconque procédure de justice.

De toute façon, le slogan publicitaire s'avéra une fausse bonne idée. Il se produisit l'effet inverse de celui prévu par l'industriel. Au nom d'une hallucination collective, le public crut que Brigitte et moi étions les instigateurs de cette commercialisation de notre image. La source Charrier avait effectivement appartenu à l'un de mes ancêtres qui vivait au lieu-dit Charrier, près de Renaison dans l'Allier, mais je n'en étais pas l'heureux propriétaire, pas plus que je n'ai été impliqué de quelque manière que ce soit dans son exploitation.

Mais surtout, les jeunes mamans n'avaient pas envie de remplir le biberon de leur enfant d'une eau sulfureuse qui avait un parfum de scandale sur fond de sex-symbol. Erreur de marketing monumentale : on avait tout simplement oublié que l'instinct maternel allait s'insurger contre cette provocation de mauvais goût.

*
* *

Durant tout mon séjour forcé au Val-de-Grâce, la presse a continué son œuvre de démolition, relayée par des associations de mères de soldats du contingent. J'eus même droit à une interpellation en règle à l'Assemblée nationale. Au cours d'une séance houleuse dans l'hémicycle, il se trouva un député pour demander des comptes au gouvernement :

– Quand va-t-on faire cesser le scandale Charrier, ce mauvais citoyen qui veut se soustraire à ses obligations civiques ?

Certains journaux allaient jusqu'à réclamer le retrait de mon permis de conduire et de mon permis de chasse (que je n'avais pas, d'ailleurs), et pourquoi pas mon permis de vivre !

Haro sur le baudet ! Chacun y allait de son couplet pour me mettre au ban de la société.

Mi-décembre, Brigitte m'écrit une nouvelle fois pour me parler de sa grossesse qui s'achemine vers un huitième mois difficile.

Mon amour, j'ai eu une grosse crise, et plein de piqûres, morphine, etc., et puis des contractions très fortes, alors L. a dit qu'il fallait préparer la chambre de Nicolas car il se pourrait qu'il vienne plus vite qu'on ne le croit car les crises sont en ce moment très fortes.

Puis, dans un nouvel élan romanesque :

... *Mon amour ma vie, ma raison, je t'aime à en mourir, cette séparation me tue. Rien au monde ni personne ne nous séparera JAMAIS. Je suis forte car je t'aime et n'ai que toi au monde... J'ai tellement besoin de ton amour, de ta protection. Je n'ai que toi, que toi, ma famille ne compte pas, ils se foutent de ma solitude car ils ont un dîner de dix personnes et ça les empêche de m'apporter un peu de tendresse. On est tellement différents des autres gens !*

Nous souffrons chacun de son côté. Brigitte a tendance à penser – comme toujours – qu'elle est la femme la plus malheureuse au monde, mais elle a conscience néanmoins que j'ai commis un acte héroïque pour la sauver avec notre enfant. D'une certaine façon, je lui ai fait don d'une part de ma vie.

*
* *

J'étais dans l'attente de la décision que devaient prendre les autorités militaires sur mon cas. Trois possibilités s'offraient à elles : l'incorporation pure et simple, un sursis d'un an ou la réforme définitive.

Bien évidemment, j'appelais de tous mes vœux cette dernière solution. Je comptais sur une libération totale avant la naissance de notre fils.

Aujourd'hui encore je persiste à croire que, sans cette guerre d'Algérie qui déchirait la France, et si je n'avais pas été exposé publiquement, ma réforme n'aurait posé aucun problème.

Le 20 décembre 1959, je quitte enfin l'hôpital. Je suis réformé, mais temporairement : mon incorporation est reportée à l'année suivante.

Pour moi qui espérais tirer un trait sur cette histoire, c'est l'accablement.

Enfin... Un an de répit, mais toujours cette épée de Damoclès suspendue au-dessus de ma tête.

L'année 1959 se terminait. Le monde avait un regard émerveillé pour la petite étudiante du boulevard Saint-Michel, Mlle Farah Diba, qui venait d'épouser le shah d'Iran. La bergère devenait impératrice et ce conte de fées faisait rêver dans les chaumières.

L'actualité du cinéma était bouillonnante : sortaient coup sur coup sur les écrans parisiens *Les 400 Coups* de Truffaut, *La Mort aux trousses* de Hitchcock, *Rio Bravo* de Howard Hawks, *Certains l'aiment chaud* de Billy Wilder, et... *Plein Soleil*, l'offrande faite à Brigitte.

La jeunesse dansait le rock sur les tubes d'Elvis Presley, tandis que perçait un certain Claude Moine – futur Eddy Mitchell –, fondateur des Chaussettes noires. C'est dire si le monde se portait mieux que notre couple...

Pourtant, j'avais une bonne raison de me réjouir. Mon enfant allait naître dans moins d'un mois.

*
* *

À peine libéré du Val-de-Grâce, je retrouve une Brigitte recluse avenue Paul-Doumer. Ces longs mois d'enfermement carcéral ont prélevé leur dû. Je suis faible, très amaigri. Lorsqu'elle m'ouvre la porte, Brigitte marque d'ailleurs un temps d'arrêt avant de me reconnaître. Puis elle fond en larmes :

– Oh mon chéri ! Comme tu as dû souffrir ! L'amour a triomphé ! On leur dira un jour à tous ces salauds qui nous empêchent d'être heureux !

Je la trouve émouvante, avec son beau ventre rond, comme peut l'être une femme qui porte la vie. Visiblement, elle ne partage pas mon opinion. Elle se fait horreur.

Elle se coupe de tout contact avec l'extérieur. Bien sûr, depuis des mois elle est traquée par les paparazzi qui guettent la moindre de ses sorties. Mais surtout, le sex-symbol répugne à se montrer aussi « moche ». Seule, sans le regard rassurant des autres sur sa beauté, elle dépérit.

Je suis déterminé à l'aider à affronter le compte à rebours. J'en suis persuadé, notre couple et notre amour devraient en sortir renforcés. Tiens bon Brigitte, ce n'est plus qu'une question de jours.

Brigitte m'apprend que ses parents ont réservé une chambre dans une clinique parisienne huppée. La rumeur court que les journalistes ont déjà pris possession des chambres stratégiques pour assister en direct à l'événement... Quel scoop en effet ! Je convaincs donc Brigitte de ne pas accoucher dans ces conditions. En outre, le médecin qui suit sa grossesse donne régulièrement des conférences de presse sur le trottoir en sortant de chez elle. Une fâcheuse habitude qui nous agace tous deux prodigieusement.

Ensemble, nous décidons de prendre contact avec le médecin qui a soigné Brigitte lors de l'épisode dramatique de Feucherolles : le docteur B. s'était révélé à cette occasion aussi efficace que discret. Il accepte immédiatement d'accoucher Brigitte avenue Paul-Doumer à la condition formelle de garder une totale liberté pour s'organiser.

Le docteur B. transforme alors une partie de l'appartement en clinique, installant tout le matériel nécessaire pour assurer la sécurité de la maman et du bébé. Parallèlement, il prévoit une ambulance en cas de complications. Nous sommes désormais prêts pour le grand jour.

La décision d'accoucher en ces lieux se fit contre l'avis de la famille de Brigitte et de son staff. Je tenais à éviter les débordements des journalistes et à préserver autant que faire se pouvait l'intimité d'un événement si important. Le docteur B. initia Brigitte en quelques jours aux techniques novatrices de l'accouchement sans douleur. Il n'était pas de ces médecins, encore nombreux à l'époque, qui considéraient que plus la mère souffre, plus elle aime son enfant. Il avait une approche très positive du sujet. Nous avions trouvé l'allié dont nous avions besoin.

Brigitte prépara elle-même la chambre, avec un sens délicieux de la décoration. Le berceau était en osier blanc, recouvert d'un baldaquin. Il y avait également une commode sur laquelle était posée une lampe de chevet, et dans le coin de la pièce, une volière rose et blanc. Sur cet univers reposant veillait la fidèle Moussia, la nounou fraîchement engagée.

Dehors, les bruits les plus fantaisistes circulaient. On écrivait dans la presse que notre « B.B. nationale » irait accoucher en Hollande, au Canada ou en Italie... Il n'en fallait pas plus pour alimenter les gazettes en on-dit abracadabrants.

*
* *

Nous en sommes là des préparatifs lorsque survient la mort d'Albert Camus, l'un des écrivains que m'avait fait découvrir mon vieil ami Abel Mounier. J'avais souvent croisé l'auteur de *L'Étranger* et de *La Peste* à Saint-Germain-des-Prés, et bien que ne l'ayant jamais connu, je me sentais proche de lui, de l'*Homme révolté*. Il vient de se tuer, ce 4 janvier 1960, dans un accident de voiture avec son éditeur. Le véhicule a percuté un arbre sur la RN 6 entre Sens et Fontainebleau. La presse publie des photos de la voiture broyée.

Tandis que je lis les articles consacrés à cette disparition dans *Le Monde*, je tombe sur un dossier complet et très impressionnant sur « la torture en Algérie ». J'y apprends les horreurs de cette guerre inutile, et comment les deux adversaires utilisent des méthodes peu compatibles avec ma conscience de citoyen. Et je pense à ces pauvres soldats arrachés à la vie à la fleur de l'âge !

*
* *

À quelques jours de l'accouchement, l'immeuble de l'avenue Paul-Doumer se trouvait en état de siège. Des centaines de téléobjectifs étaient en permanence braqués sur nos fenêtres, prêts à ouvrir le feu ! Ce « mirador » n'était pas pour plaire à Brigitte, car elle se souvenait avec effroi de la journée épique de notre mariage à Louveciennes. Nous n'avions pas envie de voir se renouveler ce rocambolesque carnaval.

Je demandai au docteur B. l'autorisation exceptionnelle d'assister à l'accouchement du début jusqu'à la fin. En 1960, les pères attendaient encore dans le couloir en fumant cigarette sur cigarette. Le médecin m'a prévenu :

– Vous assistez à l'accouchement si vous le désirez. C'est même, à mon avis, une bonne chose. Mais attention ! Si vous vous trouvez mal, je n'aurai pas le temps de m'occuper de vous.

Ce jour-là, Brigitte dut partager le haut de l'affiche avec un tout jeune acteur, né de la dernière pluie : le 11 janvier 1960, à deux heures du matin, Nicolas arrive au monde. C'est un magnifique bébé de 4,2 kg !

Aussitôt, on pose le bébé sur le ventre de Brigitte, qui le regarde avec émerveillement. Et avec un immense soulagement. D'abord parce que l'accouchement s'est passé sans aucune complication, ensuite parce que l'enfant se porte comme un charme. Comme toutes les mères du monde, Brigitte a pour premier souci de contrôler s'il est entier ! Elle touche ses orteils, ses petites mains, en répétant sans arrêt :

– C'est mon bébé ! Qu'il est beau ! Oh, qu'il est mignon !

Puis elle se tourne vers moi et me donne un baiser de reconnaissance :

– Jacques ! Tu m'as fait le plus beau cadeau dont je pouvais rêver !

À cet instant, Brigitte n'est plus Bardot. Je la regarde tenant le bébé entre ses bras, et ses yeux humides trahissent son émotion intense : j'ai devant moi une femme qui vit ce moment magique où l'instinct maternel l'emporte sur tout le reste. Plus d'apprêt, plus d'artifice, plus de star, plus de sex-symbol, mais Brigitte au naturel, dans sa lumineuse plénitude de maman ! Jamais elle n'a été aussi touchante que dans les minutes qui ont suivi l'accouchement.

Je suis le plus heureux des hommes. Mais Brigitte ayant usé et abusé de la morphine pour calmer ses douleurs, je veux avoir la certitude que notre enfant ne garde aucune séquelle de sa grossesse tumultueuse. Les jours suivants, les examens médicaux achèvent de nous rassurer sur l'état de santé de Nicolas.

Dieu sait pourtant s'il revient de loin, ce petit bonhomme ! Les angoisses de sa mère, les menaces de suicide, mes veines tailladées, le Val-de-Grâce, l'entourage professionnel aux abois : il a tout surmonté. Surmontera-t-il, trente-sept ans plus tard, le déni de maternité ?

*
* *

Qui aurait pu penser, à ce moment-là, que Brigitte remettrait un jour en cause son premier émoi de mère ?

Dans son livre, elle raconte en effet que juste après sa délivrance, elle se mit à crier, suppliant qu'on lui enlève cette « bouillotte en caoutchouc » de sur son ventre ! Et comme je lui annonçais qu'elle venait de mettre au monde un garçon, elle prétend avoir hurlé de plus belle : « Je m'en fous ! Je ne veux plus le voir ! » Et le lendemain, lorsqu'on lui apporte son enfant, elle voit arriver « un paquet de lainage blanc au milieu duquel sortait la petite tête négroïde qui avait provoqué tant de remue-ménage. Il fallait que je l'allaite. Non, non et non ! Je ne donnerais pas le sein ». Personne ne lui avait demandé de le faire.

Il ne suffit pas d'affirmer que Brigitte ment. Encore faut-il comprendre les ressorts de sa tromperie.

Pourquoi raconter de telles horreurs ?

Pourquoi s'accabler de cette absence totale de sens maternel ?

Brigitte prend là un risque considérable, celui de choquer ses lecteurs et de s'attirer une condamnation publique. Ici et là, des voix se sont d'ailleurs élevées pour s'indigner.

Mais aucune à ce jour n'a mis en cause la véracité de son témoignage ! Et c'est bien là que réside le formidable tour de passe-passe de Brigitte : elle avoue l'inavouable... donc elle ne peut que dire la vérité. L'aveu lui coûte... donc il ne peut être contesté. Briser le tabou, c'est laisser tomber le masque... et donc se donner les accents de la sincérité.

Mais la question reste. Pourquoi ?

En fait, cet aveu est le troisième élément du puzzle infernal. Il faut se rappeler la démonstration de Brigitte.

Premièrement, je n'ai pas voulu ma grossesse. Deuxièmement, je n'ai pas pu avorter. Et de toute façon, je n'ai aucun sentiment maternel !

Brigitte confesse un « crime » contre lequel elle ne peut rien – l'absence de sens maternel – pour se disculper d'un autre où sa responsabilité est irréfutable : l'abandon de son enfant. Brigitte avoue un « mauvais réflexe » ponctuel pour s'absoudre (espère-t-elle) de trente-sept ans d'égoïsme forcené !

L'habileté de ce troisième élément est subtile : Brigitte y donne l'impression de s'accuser alors qu'elle se dédouane. Ce refus viscéral de la maternité apparaît comme une simple anomalie de la nature, une tare génétique que je ne saurais évidemment lui reprocher. Au fond, elle veut nous faire croire qu'elle n'a pas le sens maternel comme d'autres n'ont pas le sens olfactif ou celui de l'orientation : cette lacune est gênante, certes, mais il n'y a pas de quoi fouetter un chat.

En publiant ce tissu de mensonges, Brigitte ne pense qu'à sauver ce qui lui reste de conscience. Pas une seconde, elle ne se soucie des conséquences affectives qu'ils peuvent avoir sur notre fils. Car aucun enfant, aussi fort et équilibré soit-il, ne peut sortir indemne d'un tel déballage public, d'autant plus ignoble qu'il a été inventé de toutes pièces pour les besoins de la cause !

Les Mémoires de Brigitte ne sont que la gigantesque justification d'un abandon d'enfant. Elle voudrait récrire son histoire pour se laver d'une tache indélébile. Et elle ose dédier son livre à Nicolas ! N'est-ce pas le signe d'une tentative de rachat ? Elle s'adresse bien à son fils mais sans aucun sursaut d'amour, ni de repentir : elle s'enlise dans les sables mouvants des dénégations égoïstes, du délit d'irresponsabilité. Pire, elle s'acharne à lui enfoncer un poignard dans le cœur (« fœtus informe », « bouillotte de caoutchouc ») afin de pouvoir s'écrier « ce n'est pas ma faute ».

N'a-t-elle jamais mesuré les effets de sa cruauté ? Peut-être croit-elle que la haine peut racheter trente-sept années d'abus de confiance envers son public... À ce stade, moi-même je ne la hais point. Je lui en veux mais pourquoi la haïr ? Je me contente de la plaindre. Car je ne suis pas sûr qu'elle soit seulement machiavélique. Certes son système de défense est si retors qu'il semble nécessiter une bonne dose de perversité, mais il révèle peut-être un problème plus grave, un remords plus profond. Pour ma part, je considère que Brigitte s'est peu à peu laissé enfermer dans une logique infernale. Il ne faut pas oublier que pendant des années, il s'est toujours trouvé un journaliste assez insolent pour lui demander pourquoi elle s'occupait tant des bébés phoques et pas plus du sien. Ce genre de question la hérissait. Et sa parade instinctive fut de dire : on m'a forcée, je ne voulais pas de cet enfant. Le premier élément posé, intégré dans son conscient comme dans son inconscient, le reste ne demandait qu'à suivre... Brigitte est-elle psychologiquement fragile, ou juste un monstre d'égoïsme ? Seul un psychiatre pourrait répondre à cette question.

Simone de Beauvoir se fourvoyait lorsqu'elle écrivit au sujet de Bardot : « Elle est épanouie et saine, tranquillement sensuelle. Il est impossible de voir en elle la griffe de Satan. » Et le général de Gaulle qui ne la connaissait que de loin pouvait s'illusionner : « Cette jeune personne me paraît avoir une simplicité de bon aloi. »

Ils pensaient sans doute à la personne publique. Connaissant Brigitte dans sa vie quotidienne, il me paraît évident qu'entre les deux personnages il n'y a pas photo, comme on dit.

⋆
⋆ ⋆

Quoi qu'il en soit, en 1959, l'accouchement de Brigitte Bardot donne lieu à un véritable délire médiatique. Voilà plusieurs jours que les journalistes et autres photographes bloquent l'avenue Paul-Doumer. Ils sont peut-être deux cents. Les plus opiniâtres se sont engouffrés dans la cage d'escalier. Nous les entendons discuter bruyamment juste derrière notre porte. Le jour de la naissance, un commissaire de police vient même nous demander d'intervenir, car une émeute se prépare. Je décide de prendre les choses en main.

Dire qu'il y a quelques semaines encore, j'étais le pestiféré des médias ! Me voilà obligé d'affronter une horde de reporters assoiffés d'informations. Beau joueur, je les invite même à sabler le champagne au *Royal Passy*, le café du coin. Ému, j'annonce alors, sous un déluge de flashes crépitants et dans une cohue monstre, la naissance de notre fils Nicolas.

Je croyais calmer le jeu. En fait, le faire-part officiel va déclencher la curée. La nouvelle se répand comme une traînée de poudre. Les dépêches tombent sur les téléscripteurs, les radios communiquent à leurs auditeurs l'événement du jour : le bébé de B.B. Des gerbes de fleurs et des télégrammes nous parviennent du monde entier. Pierre Lazareff, Joséphine Baker sont les premiers à nous féliciter. Le téléphone n'arrête plus de sonner. C'est par pleines camionnettes que nous arrivent chaussons, layettes, brassières, biberons, de quoi équiper plusieurs crèches. L'appartement est soudain trop petit pour contenir tous ces cartons, colis et paquets divers. J'ai l'impression d'assister à un show grotesque.

En bas, dans la rue, l'agitation est à son comble. Ce ne sont plus deux cents photographes, mais mille... Le lendemain, les commentateurs parleront de la « plus grande

Dalmas / Sipa

En voyage de noces à Nice.

Sipa Press

Dalmas / Sipa

R.A. / Gamma

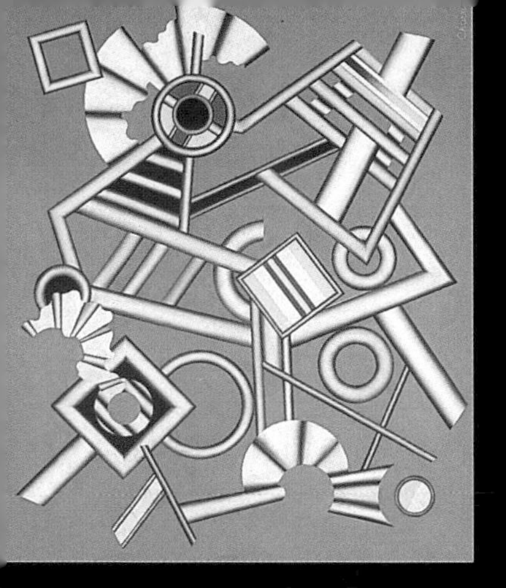

Pastels secs : première exposition à Paris en 1991.
J'expose régulièrement en France et à l'étranger.

Avec M. Federico Mayor, directeur général de l'UNESCO, et Pierre Lunel, conférencier.

En 1996, dans le cadre du cinquantième anniversaire de l'Unesco. Une exposition thématique : les 282 toiles sont inspirées des 282 lois du code d'Hammourabi, le texte juridique le plus célèbre de l'Antiquité, composé en écriture cunéiforme.

C. Brincourt

Juillet 1976. Avec Nicolas, nous passons huit jours de vacances à la Madrague. Brigitte et Mirko, son compagnon, sont des hôtes exquis.

P. Boucher

Avec Linda et Rosalie. Le présent et l'avenir.

D.R.

1970. Mes filles Marie et Sophie sont mes danseuses préférées.

bataille journalistique du demi-siècle ». Quel Charriervari !

Dans l'appartement, l'état de siège continue. Comment maîtriser cette foule décidée à forcer les portes de l'immeuble pour obtenir le scoop de l'année, une photo de Brigitte avec son enfant ?

Pas question pour Brigitte de recevoir un défilé ininterrompu de photographes dans sa chambre. Je descends donc à nouveau pour organiser une séance de photos. Je choisis Walter Caron et Jérôme Brière, deux grands professionnels, à qui je fixe une condition impérative : distribuer gratuitement les clichés qu'ils réaliseront. Et nous remontons tous les trois dans l'appartement.

Experte dans les rapports avec les médias, Brigitte sait accueillir les deux reporters avec beaucoup de savoir-faire. Elle est maquillée, souriante, s'est confectionné une coiffure choucroute qui va entrer dans la légende, et donne l'image de la plénitude, en tenant son enfant dans les bras avec beaucoup d'émotion, sous l'explosion des flashes.

La France, le monde entier vont découvrir B.B. dans son dernier rôle, celui d'une maman toute simple, glissée dans ses draps blancs à fleurs bleues, en chemise de nuit bleue à dentelles blanches !

Pour toute une génération, elle était la preuve vivante qu'une femme pouvait être à la fois belle, riche, adulée... et heureuse.

7

Qu'est-ce qu'on attend pour être heureux ?

Autrefois, tout se passait comme dans un nuage d'inconscience, de complicité ravie. Tout s'accomplissait avec une inadvertance rapide, folle, enchantée, et je me retrouvais dans les bras de Paul sans presque me souvenir de ce qui s'était passé.

Camille (Brigitte BARDOT),
dans *Le Mépris* de J.-L. GODARD.

Maintenant, cette inadvertance était complètement absente de la conduite de Camille et par conséquent de la mienne. Pourrais-je même, sous l'empire de l'excitation des sens, observer ces gestes d'un regard froid, comme sans doute elle pourrait regarder les miens ?

Paul (Michel PICCOLI),
dans *Le Mépris* de J.-L. GODARD.

Dans *Paris-Match*, ou *Jours de France* – je ne me souviens plus – Yves Salgues écrivait : « B.B. n'a jamais eu l'air si jeune. Le visage nu, sans fard, sans rouge à lèvres, elle est éclatante, au début de son nouveau personnage : Brigitte maman. Loin de l'emprise accablante des caméras, rendue à ses dimensions naturelles, à sa vérité, il ne fait aucun doute que c'est ainsi qu'elle est la plus belle. » Il ne faisait que traduire le sentiment général qui régnait alors : une nouvelle vie commençait pour Brigitte. La naissance de cet enfant signifiait le départ d'une carrière conciliant sa vie de star et celle de mère de famille.

Je pensais que Nicolas allait réussir à nous réapprendre les joies simples de l'existence, nous qui avions été emportés si tôt dans le tourbillon frénétique de la vie d'« artiste », et qui sortions d'une involontaire et douloureuse séparation à la suite de mon séjour forcé à l'hôpital du Val-de-Grâce. Brigitte elle-même en paraissait convaincue. Les yeux embués de larmes devant notre enfant, elle me répétait que jamais un homme ne lui avait offert un tel témoignage d'amour. Et je la croyais.

Après le tohu-bohu qui avait suivi l'accouchement, nous sommes partis nous reposer à Saint-Tropez. Brigitte, qui recommençait à s'angoisser pour un oui ou pour un non, décida d'élargir son cercle canin, avec de véritables chiens de garde. Manque de chance, les molosses étaient tellement agressifs qu'elle-même ne pouvait les approcher. C'était joyeux ! Quand on voulait entrer ou sortir, il fallait attendre que le gardien enferme les chiens. S'ils lui échappaient, en route pour la course aux abris ! Certes, un peu de sport n'a jamais fait de mal à personne. Mais à tout prendre, la meute des journalistes était moins dangereuse.

Vis-à-vis de Brigitte, je me sentais irréprochable. J'avais rempli tous mes contrats. Elle avait voulu que je reste auprès d'elle, et j'avais renoncé à tourner *Plein Soleil*. Elle avait menacé de se tuer si je partais au service militaire, et je m'étais « suicidé » sous ses yeux dans l'espoir d'être réformé. Dans les deux cas, j'avais privilégié mon amour pour elle et, envers et contre tout, je restais convaincu d'avoir fait le bon choix en évitant le pire.

La venue au monde de Nicolas me portait à croire que notre couple allait reprendre sa vitesse de croisière. Après la tempête, nous allions enfin pouvoir connaître la douceur d'une vie à trois.

En attendant, j'avais besoin d'un repos bien mérité. Ma tentative de suicide et mes semaines d'enfermement m'avaient durement éprouvé. Maintenant, la tension était retombée, et je subissais le contrecoup. Je profitais donc au maximum de ces jours tranquilles pour me remettre en forme : cure de calcium et d'air pur, jogging sur la plage et coucher tôt.

Je suivais l'actualité avec attention et inquiétude. La situation se dégradait sérieusement en Algérie. De Gaulle venait de limoger Massu, qui commandait la garnison d'Alger. Les partisans de l'Algérie française se soulevaient, des barricades étaient dressées et, comme le disait un commentateur sur l'antenne de Radio-Luxembourg, « des Français tiraient sur des Français ». Alger sombrait dans une folie meurtrière.

De notre côté, durant ces quelques semaines, nous avons vécu en totale harmonie. Émerveillés, nous nous penchions sur le berceau de Nicolas, et Brigitte semblait bouleversée de le voir dormir, avec son visage d'ange, et sa fossette au menton.

De retour à Paris, un jour, elle a lu dans un magazine qu'une écolière américaine, interrogée sur la France, avait répondu : « C'est le pays de Brigitte Bardot. » Brigitte a éclaté de rire, puis s'est penchée vers Nicolas :

– Quand tu auras douze ans et que je te raconterai ta naissance, tu ne me croiras pas. Tu penseras : « Maman est une menteuse.»

(En fait, ce n'est pas douze ans mais trente-sept ans plus tard que Brigitte raconta sa naissance à Nicolas. En revanche, elle a parfaitement anticipé sa réaction.)

Tout le monde s'accordait à dire que la naissance du bébé avait rendu Brigitte plus radieuse encore. Auparavant, nous étions un couple vedette soumis aux vicissitudes du succès et de la célébrité ; à présent, nous formions une vraie famille comme tant de jeunes parents. J'étais persuadé que la responsabilité de l'éducation d'un enfant allait stabiliser Brigitte.

J'avais tout faux.

Peu à peu, le comportement de la maman-star changea. Plus les jours passaient, moins elle semblait disponible pour son enfant... et pour son mari. Les sources d'agacement, les griefs, les mouvements d'humeur devenaient plus fréquents et répétitifs. Fini les premiers jours d'émerveillement... Brigitte commençait à me faire comprendre qu'à cause de cette grossesse elle avait laissé passer beaucoup d'occasions professionnelles et qu'elle avait envie de rattraper le temps perdu. Elle voulait sortir, et les tournages lui manquaient. Elle était impatiente de reprendre le chemin des plateaux et me demandait régulièrement quels étaient mes projets personnels au cinéma.

Or il m'était difficile d'en avoir car cette affaire de service militaire m'avait discrédité auprès de nombreux producteurs, renvoyant *sine die* la signature de mes contrats. Quand je lui faisais part de ces difficultés, Brigitte cherchait aussitôt à me culpabiliser. Selon elle, j'avais mal négocié ma réforme temporaire du service militaire ! Avec son vocabulaire d'archiduchesse, elle m'assenait que je m'étais « démerdé comme un con ».

– Tu comprends, Jacques, la vie est courte, j'ai vingt-cinq ans et j'ai envie d'en profiter ! J'ai besoin de continuer ma carrière, surtout que j'ai des projets. J'ai envie aussi de sortir, d'aller danser ! Si tu ne fais rien, si tu es toujours dans mes pattes, tu vas m'empêcher de vivre !

Une femme qui vous parle ainsi est une femme à moitié perdue pour vous. Il faut dire qu'avenue Paul-Doumer, nous tournions en rond. Brigitte se mettait régulièrement en colère, criait qu'elle en avait assez de vivre en recluse. Et elle me rendait responsable de cette situation : je lui aurais mis le grappin dessus, je lui aurais fait un enfant pour l'asservir. Je m'insurgeais contre une telle interprétation, lui rappelant que c'était elle et elle seule qui était venue me chercher sur le tournage de *Babette*, en me suppliant de la protéger, car tout le monde lui voulait du mal. Ne m'avait-elle pas maintes fois répété que j'étais un être pur, dépourvu de toute mentalité calculatrice ? Oui, insistait-elle, elle en avait « marre des infâmes machos », me trouvant à leur opposé, « tendre », « doux », « gentil ». À ses yeux, je préfigurais un type d'homme qui deviendrait un jour à la mode : le sentimental qui s'assume. Un avant-gardiste… en quelque sorte. Qu'était-il advenu de toutes ces déclarations ?

Dans cette ambiance insupportable, mes journées devenaient un véritable supplice. J'étais écœuré. Je nous regardais nous déchirer. De jour en jour, les reproches de Brigitte augmentant, notre couple se fissurait.

Elle ne me passait rien. J'étais devenu l'empêcheur de tourner en rond. Un jour elle m'a lancé à la figure :

– Tout ce que tu espères, c'est que je devienne comme ta mère ! Une femme entourée de plein de gosses et qui élève sagement sa petite famille ! C'est ça, ton idéal de femme !

Mais selon sa bonne habitude de la douche écossaise, elle alternait vitupérations et moments de tendresse. Elle avait le don exceptionnel de passer en un éclair de la furie la plus dévastatrice à la plus douce des compagnes. Chez une autre, on parlerait de tempérament caractériel.

Ma tête fourmillait de mille questions : quel crime avais-je donc commis pour subir pareil traitement ? N'avais-je pas toujours été dans le sens de ses désirs, aussi délirants fussent-ils ? Je m'estimais à juste titre comme le plus à plaindre des deux, car à ce jeu, je m'étais brûlé les ailes. Au lieu de panser mes plaies, Brigitte les faisait saigner. Sans sadisme, uniquement par un égoïsme porté à son paroxysme. Tout ce qui satisfaisait ses envies était bon à prendre, tout ce qui les contrariait était une mauvaise herbe à couper. J'avais basculé du mauvais côté de la barrière.

Les terribles événements des derniers mois me revenaient en mémoire : mon opération de l'appendicite, le rôle principal de *Plein Soleil* que j'avais abandonné, mon séjour au 11e cuirassé d'Orange, ma tentative de suicide, les trois mois passés au service « neuro B » du Val-de-Grâce, la campagne de presse contre moi... À quoi bon tant de sacrifices ? Deux mois après la naissance de notre enfant, j'étais injustement rejeté ! Je me sentais trahi, possédé. Quel con j'avais été !

Les jours passaient et sa vindicte allait crescendo : j'étais le salaud responsable de tous ses malheurs puisque j'étais le père de l'enfant qu'elle avait porté, l'auteur de cette grossesse dont elle avait tant souffert. Et dans un leitmotiv impitoyable, elle remettait cent fois sur l'instrument ses griefs.

Saigné à blanc par mon épisode militaire, je n'étais plus le jeune premier triomphant de *La Bûcherie*, mais un acteur affaibli, honni par la presse et en survie dans la profession. Une ombre néfaste sur la trajectoire dorée du mythe national. À mon tour j'attendais un réconfort, mais j'étais lâché.

– Tu sais, dans la vie ça se passe comme ça, me narguait-elle. Il y a des gens qui sont des mythes et puis les autres, ceux qui les entourent.

Je voulais en avoir le cœur net. J'essayai de savoir si elle avait vraiment eu l'intention de se tuer avec l'enfant :

– Je n'en sais rien !

– Comment, tu n'en sais rien ?

– C'était simplement pour voir si tu m'aimais !

– Tu t'en es aperçue, j'espère !

– Bien sûr. Mais la vie ne s'arrête pas pour autant ! J'ai un avenir ! Je suis une vedette et je me dois à mon public. Mon pauvre Jacques, regarde-toi ! Comment t'es-tu débrouillé pour en arriver là ?

J'étais scié.

Elle était tellement à bout de nerfs qu'elle ne supportait plus les pleurs de l'enfant.

– Mais faites-le taire ! Cet enfant me brise les tympans ! hurlait-elle en se bouchant les oreilles.

Je prenais alors mon bébé dans les bras pour lui faire un gros câlin.

Elle le trouvait « chiant », selon son propre terme. Et Nicolas, qui devait le sentir, pleurait dès qu'il apercevait sa mère. Elle s'était durcie, la fibre maternelle n'avait duré que trois mois, le temps que Brigitte retrouve sa taille. Crispée, acariâtre, elle se mettait en colère sans raison apparente, trouvait tout le monde « stupide » et « con » :

– Je ne t'appartiens pas, Jacques ! J'ai besoin d'air ! J'ai envie de respirer ! Ici j'étouffe !

Notre couple se désagrégeait lentement mais sûrement. Au bout de six mois, je me sentais totalement déboussolé. Aucune porte de sortie ne s'offrait à moi. Nous étions arrivés à un point de non-retour. Je n'avais rien d'autre à lui proposer que ma souffrance et je ne pouvais échapper à celle-ci qu'en m'éloignant de Brigitte. Chaque jour, nous nous enfoncions un peu plus dans nos solitudes respectives. Pour paraphraser Brel, je n'étais plus « l'ombre de son ombre », pas même « l'ombre de son chien ».

Comment avais-je été assez stupide pour croire que mon sacrifice pourrait sauver notre couple ? Comment avais-je pu tomber dans ce piège ? Par excès de romantisme, je ne vois pas d'autre réponse. Je croyais au grand amour et j'étais prêt à tout lui sacrifier. Je m'étais sans doute trompé de siècle.

Pendant ce temps, le conflit algérien s'étendait et s'aggravait. Chaque jour la France s'enfonçait un peu plus dans la guerre, et les populations plongeaient dans la souffrance. Je suivais de près les événements qui se précipitaient. À l'instar de ma relation avec Brigitte, mais l'enjeu était autrement plus grave, la situation politique se dégradait.

L'écrivain Georges Arnaud, auteur du *Salaire de la peur*, venait d'être arrêté par les autorités françaises : il avait hébergé et caché

Henri Jeanson, recherché par toutes les polices pour ses sympathies avec le FLN (Front de Libération national algérien). À Saint-Nazaire, le pays lançait en grande pompe le paquebot *France*, orgueil national et symbole de réussite économique.

Quand on est acculé comme je l'étais, on tente de survivre en se fiant à son instinct. Pour moi, dans l'immédiat, le salut ne peut être que dans la fuite. La comédie a assez duré. J'ai besoin de recul, besoin aussi de « changer d'air ». Un matin, j'annonce à Brigitte que je descends me reposer quelques jours dans le Midi. J'ai envie de côtoyer des gens « normaux », capables de sentiments sincères, loin de l'univers frelaté du star-system.

Je rejoins d'abord mes parents à Montpellier. Sans trop poser de questions, ils m'ont entouré, dorloté, sentant bien que j'étais venu chercher du réconfort. Je renoue aussi avec mes premières attaches : Pierre Nicot et Jean Paulet, mon ami le potier. Puis je rends visite à ma sœur Évelyne dans le Tarn. Là encore, j'apprécie la tendresse et la joie de vivre retrouvées dans une maison pleine d'enfants.

Après avoir rechargé mes batteries auprès de ma famille, je pars seul à Saint-Tropez. Je profite de cette solitude pour faire le point sur l'année que je viens de passer. Je lis beaucoup, je marche longuement dans les pinèdes, au bord de l'eau. Dieu que ce village est agréable hors saison ! Peu à peu, je retrouve une sérénité qui me fortifie.

Il faut dire que je revenais de loin. Qui serait sorti indemne de ce fatal enchaînement d'épreuves ? Brigitte écrit : « Il était devenu hâve, ses yeux étaient cernés et ourlés de rouge. Son état nerveux était alarmant ! Sa faiblesse incommensurable ! Jacques était très fatigué, dépressif, l'épreuve qu'il avait dramatiquement traversée lui laissa des séquelles à vie ! » Merci pour le diagnostic ! Et il est vrai que j'aurais pu effectivement garder de ces mois d'enfer des séquelles irréversibles. Dégoûté de l'existence, j'aurais pu sombrer dans une totale déchéance. Je suis un miraculé.

Je dois très certainement mon sauvetage au souvenir ensoleillé de mon enfance, de ces années merveilleuses vécues à Carthage, mais aussi en Allemagne, à Strasbourg et à Montpellier. L'harmonie familiale dans laquelle j'ai grandi m'a donné la force et le courage de continuer la lutte. J'ai peu à peu remonté la pente. Je sentais alors que le bout du tunnel n'était pas très loin, que les jours heureux pouvaient revenir.

Je baigne ainsi dans ma solitude pendant plusieurs semaines. Et tout à coup, dans la douceur méditerranéenne, là même où papa avait débarqué quelques années plus tôt pour libérer la France, je m'affranchis du joug de

Brigitte. J'ai la révélation : je m'aperçois que vivre sans elle est une bénédiction, l'espoir d'une renaissance. Ne plus entendre ses lamentations perpétuelles, ne plus subir sa paranoïa quotidienne ! Ne plus l'entendre pester contre la terre entière. Quelle paix ! Quel silence ! Quel repos !

Bref, notre séparation m'a fait du bien. Brigitte me téléphone chaque jour pour prendre de mes nouvelles. Elle me demande de revenir, me dit qu'elle m'attend car elle ne supporte plus mon « abandon ». Elle insistera lors de toutes nos conversations téléphoniques. Chaque fois, je repousse la date de mon retour. Je reste lucide. Si je rentre à Paris, Brigitte se montrera la plus aimante des compagnes durant quelques jours, elle fera tout pour m'amadouer, pour me reconquérir. Je signerai là ma nouvelle condamnation. Peu à peu nos rapports se dégraderont, et je replongerai tranquillement dans l'enfer que j'ai connu après la naissance de Nicolas. J'en étais arrivé à ne plus savoir quel était mon but dans la vie. Ce n'était certainement pas la gloire, ni la fortune, ni le pouvoir, mais encore moins de vivre avec l'ingratitude d'une femme et les conflits permanents.

Sur le plan professionnel, deux metteurs en scène, Michel Mitrani et Michel Deville, m'ont contacté pour me proposer de tourner sous leur direction. La proposition est d'autant plus tentante que depuis peu, certains producteurs et distributeurs m'ont mis sur la touche, sensibles à la curée médiatique dont j'étais victime. Ces deux réalisateurs, eux, me veulent et se moquent du qu'en-dira-t-on. Je leur confie que je connais quelques difficultés personnelles (sans donner plus de détails) qui risquent de retarder le début du tournage. Ils me rassurent : ils m'attendront.

Car rien n'est encore définitif ! Réformé temporaire, je dois repartir dans quelques mois à la caserne. Impossible dans ces conditions de m'engager et de signer ferme de nouveaux contrats.

Après un bon mois passé dans le Midi, je suis ragaillardi. Le soleil m'a réchauffé les neurones. Je vais mieux, je me sens à nouveau capable d'affronter Brigitte, avec l'intention de m'expliquer calmement avec elle. Je suis prêt à lever tous les malentendus. Je décide donc de prendre le train pour Paris avec les meilleures résolutions du monde. J'avais mangé le pain blanc de notre amour. J'étais prêt à tourner la page définitivement.

Je téléphone à Brigitte pour lui annoncer mon retour. Elle m'attend.

*

* *

J'arrive en fin d'après-midi avenue Paul-Doumer. Brigitte a commencé le tournage de *La Vérité*, le film de Georges Clouzot. Elle n'est pas à la maison. Sur la table, elle m'a laissé un mot pour me prévenir qu'elle passe la soirée chez Dany, sa doublure, qui habite un appartement au-dessus de *La Rhumerie martiniquaise*, un café branché sur le boulevard Saint-Germain. Elle précise qu'il y a des œufs et du jambon dans le réfrigérateur.

À côté du mot de Brigitte, je trouve plusieurs journaux, placés là, bien en évidence. Je tombe des nues en lisant un article selon lequel le plateau de tournage de *La Vérité* m'est interdit : en effet, j'aurais débarqué un jour aux studios, et j'aurais eu une violente altercation avec le producteur Raoul Lévy ! Je suis scandalisé ! Je n'ai jamais mis les pieds sur le tournage pour la bonne raison que je n'étais même pas à Paris.

Une fois de plus j'ai la preuve, s'il en était besoin, que certains journalistes en mal de copie sont prêts à toutes les fictions pour alimenter un roman-feuilleton et faire vendre du papier.

Je suis en train de défaire ma valise lorsque le téléphone sonne. C'est un copain que j'ai connu au Centre d'art dramatique de la rue Blanche. Nous bavardons quelques minutes, et, comme il s'inquiète de ma longue absence et des articles alarmistes publiés dans la presse, je lui explique que je suis parti me reposer quelques semaines. Nous sommes sur le point de raccrocher lorsque, hésitant, il m'informe d'une rumeur – parmi d'autres – qui court en ville : Brigitte filerait le parfait amour avec Sami Frey, son partenaire dans *La Vérité*. Une information non vérifiée, me précise-t-il, mais il se doit en sa qualité d'ami de m'avertir...

Je saute dans un taxi qui me dépose devant *La Rhumerie martiniquaise*. Alors que je vais pénétrer sous le porche, j'aperçois Brigitte dans une voiture de l'autre côté du boulevard. Je m'approche. Sami Frey est assis à côté d'elle, au volant. Je les observe discrètement quelques instants. Ils semblent très proches en effet...

Je frappe à la vitre de la voiture. Brigitte se tourne, surprise de me trouver là. Je lui rappelle pourtant que c'est elle qui m'a proposé de rentrer à Paris, elle aussi qui a bien pris soin de me faire savoir où elle passerait la soirée. Comme nous étions convenus de nous parler, j'ai décidé de venir la retrouver. Mais je sens Brigitte excédée. Ma présence semble inopportune, et contrarie visiblement ses projets.

Sami met le moteur de la voiture en marche. Tout à coup, voilà que des flashes d'appareils photo crépitent tout autour de nous. J'ouvre la portière arrière de la voiture dans laquelle je m'engouffre. Je dis calmement à Sami : « Démarre. »

Lorsque nous arrivons au carrefour du boulevard Saint-Germain et du boulevard Saint-

Michel, je demande à Sami de tourner à droite, puis de prendre immédiatement à gauche. Nous nous retrouvons rue du Sommerard, une ruelle déserte près du musée de Cluny. « Gare-toi là, nous serons plus tranquilles pour bavarder. » J'engage la conversation sur un ton badin.

– Alors, mes enfants, il paraît que vous avez des petits secrets qui me concernent. Ce serait gentil de les partager avec moi.

Un peu affolé, Sami se retourne, la mine coupable :

– Jacques, il faut que tu comprennes !

– Te fatigue pas, j'ai compris !

Mon sang ne fait qu'un tour, je lui flanque un coup de poing dans la figure. Brigitte hurle :

– Tu es fou ! Tu n'as pas le droit ! Au secours ! Au secours !

Je n'ai aucune animosité, ni envers Sami ni même envers elle. Ce coup de poing libérateur n'est pas celui d'un héros romantique, fou de jalousie. C'est juste le réflexe d'un homme blessé qui cherche à exorciser un passé douloureux. Sami payait les pots cassés, mais l'occasion était trop belle.

Sur ce, je claque la portière, après avoir souhaité bon courage à la nouvelle proie de Brigitte.

Je regarde la voiture démarrer en trombe. Je viens de mettre un point final à une belle histoire d'amour.

*
* *

Je n'ai pas songé à discuter, à « sauver les meubles ». J'étais jeune, impulsif et meurtri. Quand je pense que Brigitte m'avait fait signer un document scellé (destiné à un juge si nécessaire) dans lequel je prêtais le serment de lui être totalement fidèle jusqu'à la fin des temps ! J'avais tenu ma promesse. Pas elle, visiblement. Ce coup de canif dans le contrat venait parachever des semaines, voire des mois de tension.

En roulant vers la rive droite, j'ai retrouvé un calme et une sérénité que je n'avais pas connus depuis longtemps. L'étau s'était desserré. Je respirais enfin. Révolu le temps des conflits, des reproches, et de la douche écossaise. Je me sentais léger, libre, envahi par un formidable sentiment de résurrection. J'avais coupé le cordon.

Tout à coup j'ai pensé à Sacha Distel. Avait-il ressenti le même soulagement quand il avait compris, avenue Paul-Doumer, qu'il était éconduit ? Et pourquoi Brigitte m'avait-elle donné l'adresse où elle passait sa soirée, sinon pour que je m'y rende ? À croire qu'elle ne savait pas rompre sans organiser son « duel » de prétendants. Un duel qui lui ôtait en apparence la responsabilité de la rupture, et qui lui assurait une transition sans temps mort : un admirateur vient en chasser un autre. « Au suivant », comme dit la chanson.

Aujourd'hui, je fais amende honorable. Je regrette sincèrement d'avoir frappé Sami, qui a dû être abusé par Brigitte. Elle lui avait certainement raconté qu'entre elle et moi, la romance était terminée...

Cette communauté de sort avec Sami n'allait d'ailleurs pas s'arrêter là ! Un an plus tard, il a tenté de se suicider pour échapper lui aussi à ses obligations militaires. Sur les conseils de Brigitte ? Une fois n'est pas coutume, la presse qui relatait l'épisode ne s'y trompait pas : elle faisait état de la « similitude de destin » entre Sami Frey et moi. Et avant nous, Jean-Louis Trintignant avait connu un destin assez semblable. Le journal écrivait : « Jacques Charrier et Sami Frey, l'un après l'autre, ont été la proie de B.B. qui les a bouleversés et amenés au bord de la catastrophe. Et c'est peut-être parce que la chute pathétique de celui qu'elle avait épousé l'a tout de même marquée qu'elle a voulu apaiser sa conscience en contribuant à sauver sa deuxième "victime", aussi faible et désemparée que la première devant elle... »

Et dire que lors de mes premières rencontres avec Brigitte, je m'étais laissé attendrir par la petite fille touchante, merveilleuse, adorable et « fragile » ! Je n'avais que trop tardé à découvrir les facettes insoupçonnées de sa personnalité. Par inconscience ou par calcul, par égoïsme certainement, elle était capable d'entraîner dans les pires aventures les êtres auxquels elle faisait croire qu'ils lui étaient indispensables.

La star Brigitte était une lumière autour de laquelle les insectes que nous étions venaient se brûler les ailes. Rares étaient ceux qui y échappaient. Mais nous n'avions que ce que nous méritions : la mariée était trop belle.

Sami avait reçu injustement un coup de poing dans le nez qui lui avait fait sans doute du mal. Mais qui m'avait fait tellement de bien ! C'était comme un passage du témoin dans une course de relais pour le moins atypique.

Je lui souhaitais bien du plaisir, car je savais que des coups, il en prendrait, et des plus violents sans doute. Des bleus à l'âme. Je pensais à la phrase de Sacha Guitry : « La plus grande vacherie que vous pouvez faire à un homme qui vous a pris votre femme, c'est de la lui laisser. »

Arrivé avenue Paul-Doumer, j'ai délaissé l'ascenseur pour grimper les sept étages quatre à quatre. À croire que plus rien ne pouvait m'arrêter ! J'ai refait la valise que j'avais défaite deux heures plus tôt. Et je suis parti dans la nuit.

*

* *

Une fois passés les premiers instants d'exaltation, j'ai cédé à un profond accablement. « Quel gâchis ! » me disais-je. Car notre séparation n'était pas si simple. Je ne pouvais pas me contenter de « rompre le cordon ». Entre Brigitte et moi, il y avait Nicolas. Qu'allait devenir ce petit bonhomme innocent ? Je n'imaginais plus que Brigitte, trop narcissique, trop pressée par sa carrière et ses nouvelles amours, puisse s'en occuper sérieusement. D'un autre côté, entre mes obligations militaires et mes déboires professionnels, j'avais peu de chances d'obtenir la garde de l'enfant en cas de divorce. J'allais devoir m'armer de patience.

La rupture s'était somme toute bien passée. Le plus sobrement possible. Et pourtant, elle me laissait un goût amer dans la bouche. Car, au fond, ma situation n'avait rien d'enviable : j'étais tombé en disgrâce dans la profession, l'armée française m'attendait, la presse spécialisée m'avait discrédité auprès du public. Et pour couronner le tout, à vingt-trois ans, j'étais un jeune père séparé de son fils – il était resté près de sa mère –, avec un divorce en perspective. Pas de quoi exulter.

Réfugié chez une amie, je passais des journées entières allongé sur un lit, les mains nouées derrière la nuque, les yeux fixés au plafond. Je me faisais l'effet d'un homme qui, après avoir erré des mois dans une forêt, sans boussole, se retrouverait soudain au bord d'une route, mais sans panneaux indicateurs. J'étais sorti d'affaire, mais je ne savais pas s'il fallait prendre à droite ou à gauche pour retrouver un peu de civilisation.

Dans mes valises, je retrouvai une lettre que Brigitte m'avait adressée au mois de novembre précédent :

...Tu m'as rendue meilleure ! Tu es ma vie ! Si tu me quittes je meurs, rien au monde ne compte que toi ! Les autres je m'en fous c'est toi que j'aime. Je te serai fidèle jusqu'à la fin des temps. Sans toi je suis un petit rien du tout, tu m'as changée, moralement et physiquement. Je te dois tout mon amour.

Et je l'ai crue ! Quel enfant de chœur j'étais ! Brigitte ne m'avait pas aimé, elle avait aimé l'amour que je lui portais. Dans le théâtre permanent de sa vie, elle passait son temps à se mettre en scène pour se rassurer. Elle ne demandait qu'une chose aux êtres qui l'entouraient : l'assurer de leur vénération pour elle. Elle était en demande perpétuelle de reconnaissance.

Brigitte dissimulait son vide intérieur en mettant en avant les signes extérieurs de sa beauté. Puis elle forçait le trait. « Je suis belle et personne ne m'aime. » Ce raccourci finit par se transformer en évidente équation : « Personne ne m'aime donc je n'aime personne. Je n'aime que moi. » D'où son égocentrisme outrancier, son obsession grandissante de la persécution, son repli dans la misanthropie.

Car cette idéalisation du moi conduisait fatalement à « l'enfer, c'est les autres ». Les autres dont elle a toujours eu peur. L'autre, celui qui est différent d'elle, constitue une menace pour son Moi grandiose. Voilà sans doute aussi pourquoi Brigitte n'a jamais pu se fixer sentimentalement. Un attachement trop fort, un don total d'elle-même ne pouvait que mettre en péril son moi, véritable mausolée d'orgueil.

La rupture amoureuse, au contraire, lui permettait de se réinventer. Elle avait un éternel besoin de se prouver qu'elle était une femme libre, indépendante, et en même temps elle avait une soif maladive d'être protégée. Lorsqu'elle se débarrassait de l'un de ses amants, c'était toujours parce qu'elle en avait trouvé un autre. Brigitte s'accrochait éperdument à cet homme-miroir : « Quand je ne suis pas amoureuse, je deviens laide », dit-elle très justement dans son livre. Elle a besoin d'être regardée, admirée, de s'entendre dire qu'elle est la plus belle.

Mais Brigitte-Narcisse ne peut rencontrer cette image parfaite et idéalisée que dans ses fantasmes, car les autres se lassent. Ce qui la conduit à les haïr : « Ils sont différents de moi. Ils me menacent. Je dois me protéger. Je les hais. » Voilà pourquoi Brigitte n'aime que les domestiques... et les animaux. Eux sont forcément bons puisqu'ils sont totalement disponibles. Ils lui offrent ce qu'elle ne peut obtenir des hommes : une présence permanente et un mutisme qu'elle peut interpréter à sa guise.

Lorsque Brigitte, dans une interview donnée à un magazine de télévision, affirme qu'elle aurait préféré accoucher d'un chien plutôt que d'un enfant, cet aveu peut paraître choquant, mais il faut bien comprendre que pour Brigitte, le chien représente l'être idéal. L'enfant, le mari parfait : fidèle, aux ordres, et ne se plaignant jamais. On l'appelle, il arrive. On le chasse, il s'en va. On peut même lui apprendre à donner la papatte. Il accepte tous les maîtres et accepte tout de son maître. Ses humeurs et ses désirs peuvent être aisément satisfaits. En rongeant son no-nos, il attend bien sagement le retour de sa maîtresse et, à plat ventre, il lui lèche la main avec dévotion. Et en plus les chiens ne parlent pas. La panacée pour Brigitte !

C'est sans doute la raison pour laquelle elle s'obstinait à m'affubler de noms de bêtes. Elle m'élevait au rang d'animal ! J'ai eu droit, comme d'autres sans doute, à « mon canard », « mon poussin », « mon canari », et « mon gros lézard ». Elle commence même l'une de ses lettres par « Mon animal chéri » ! Si j'avais su que nous finirions par échanger des noms d'oiseaux... Et qu'au bout du compte, je serais le « pigeon », le « dindon » de la farce !

Bernard-Henri Lévy a vu juste dans son « Bloc-notes » du *Point* : « Comme Brigitte Bardot, en traitant les bêtes comme des hommes, on finit par voir les hommes comme des bêtes : c'est à force de traiter les chiens comme des humains que l'on consent à ce que les humains soient, partout, traités comme des chiens. »

Pour Platon, il y avait trois espèces de bipèdes : les vivants, les morts et les marins. Pour Brigitte Bardot, l'humanité se divise aussi en trois : les êtres humains (race inférieure et méprisable), les animaux (dignes d'être aimés) et elle-même (digne d'être adulée).

*

* *

Avec sa franchise bien connue, Jean Gabin, partenaire de Brigitte dans *En cas de malheur*, n'avait pas raté son effet dans *France-Soir* : « Cette petite femme a réussi ce que trente ans passés dans les studios de cinéma n'étaient pas parvenus à me faire : me dégoûter du cinéma. » Brigitte n'avait pas réussi à me dégoûter de la vie. Elle m'avait au contraire donné une formidable envie de vivre. Mais loin d'elle.

Nous étions en septembre 1960. J'avais besoin de couper tous les ponts avec la France, comme pour entériner notre rupture. Je m'envolai pour la Colombie, chez mon ami Pierre Daguet. Celui-ci possédait une île déserte au large de Carthagène, et il offrit de m'y déposer. Seul, j'ai joué les Robinson Crusoé pendant un mois. Sans téléphone, sans rendez-vous, sans artifice. Sans Bardot. Je me nourrissais de riz et des poissons que je pêchais. Une vie simple et sauvage, où j'apprenais à organiser mes longues journées, proche de la nature.

J'avais emporté quelques livres pour me tenir compagnie. Mes chiens à moi, toujours disponibles. Jacques Prévert bien sûr, mais aussi Henry Miller et Paul Lafargue. Dans *Big Sur ou les oranges de Jérôme Bosch*, Miller écrivait : « Ce qu'il détestait, c'était le travail mercenaire, un travail qui n'a pas de sens. Il préférait crever de faim plutôt que d'aliéner sa liberté. Et il savait crever de faim aussi magnifiquement qu'il savait travailler. Il le faisait avec grâce, comme pour prouver que jeûner n'était qu'un passe-temps. Il semblait vivre d'air pur. » Je trouvais que ce portrait aurait pu être le mien...

Je lisais aussi *Le Droit à la paresse*, avec son programme magnifique : « Trois heures par jour de travail. » Je revendiquais également le « droit à l'ennui » dont je faisais l'expérience sur cette île, mais en appliquant la devise de Lessing : « Paressons en toute chose, hormis en aimant et en buvant, hormis en paressant. » Il est étonnant de constater à quel point notre instinct de création se révèle dès que l'esprit s'abandonne à la paresse. J'avais emporté du papier, des crayons, des pinceaux et des tubes, et je n'ai pas cessé de peindre.

Les jours passaient loin du monde en furie. J'avais fini par oublier l'armée, et la guerre qui faisait rage de l'autre côté de la Méditerranée. J'ignorais que pendant ce temps Jean-Paul Sartre, Simone de Beauvoir, André Breton, Marguerite Duras, Alain Resnais, Alain Robbe-Grillet, Simone Signoret et quelques autres signaient le « Manifeste des 121 » pour s'opposer à la guerre d'Algérie et réclamer un autre droit, le « droit à l'insoumission ».

Un matin, j'ai été pris d'une fièvre galopante. J'avais mangé des poissons de coraux vénéneux. Je ne pouvais plus marcher. J'étais allongé sur la plage lorsqu'un pêcheur m'a trouvé là, délirant. Il m'a immédiatement conduit dans un hôpital de Carthagène. Mon vieux rêve de l'île déserte avait fait long feu.

*
* *

À mon retour en France, j'apprends par la presse que Brigitte, qui vient de boucler le tournage de *La Vérité* aux studios de la Victorine, a tenté de se suicider. On raconte qu'elle était déprimée, et qu'avant chaque prise, sur le plateau, elle devait avaler force whisky et tranquillisants pour tenir le coup. Elle était allée se reposer dans un hameau de l'arrière-pays de Menton, près de la frontière italienne, et elle avait vidé un tube de barbituriques avant de se taillader les veines. Elle accusait le monde entier : « J'ai toujours su que l'humanité était cruelle, méchante, injuste, fourbe, inhumaine *(sic)*, j'ai voulu la quitter, pour de vrai, lui préférant une autre pourriture, plus saine, celle de la mort », écrit-elle dans son livre.

Toujours selon la presse, elle avait été conduite, inconsciente, à la clinique Saint-François de Nice, où les personnalités se pressaient à son chevet. On la disait déchirée entre les aléas de ses amours, le stress des tournages, la traque des médias, les exigences des metteurs en scène. Sans oublier Charrier qui l'avait abandonnée comme une malpropre... Le « mauvais Français » avait poussé au suicide la pauvre star esseulée ! Malgré notre rupture, je restais le coupable désigné de tous ses malheurs. Ingrat que j'étais, je ne lui avais même pas donné signe de vie. Et pour cause : j'étais sur une île déserte à six mille kilomètres de la France !

J'étais triste pour Brigitte, la mère de mon enfant, bien sûr, mais je savais que ma présence (ou mon absence) ne changerait rien à son désarroi. J'ai appris plus tard qu'elle m'en avait voulu de ne pas m'être manifesté à ce moment-là. En fait, Brigitte ne conçoit pas la vie sans une bonne dose de théâtralité : d'où son goût prononcé pour le décorum qui entoure les anniversaires, les condoléances d'usage et jusqu'aux visites de sympathie à la clinique.

Les tentatives de suicide de Brigitte voulaient alerter le monde : « Voyez comme je suis malheureuse. Voyez comme ils sont méchants avec moi ! » Elle s'est toujours complu dans une attitude mortifère. Lorsque je relis les lettres qu'elle m'envoyait, je constate que le thème de la mort revient comme une obsession. Quand je pense à Brigitte, je pense au baiser du vampire, le baiser qui tue. Ses lettres regorgent de « je t'aime » mais c'est toujours « à en mourir ». « C'est si fort que je crois que je vais mourir », écrit-elle ailleurs. Et : « Après avoir connu un tel bonheur, je sais que je peux mourir. » Lorsqu'elle exigeait ma libération, elle brandissait la menace de la solution fatale : « Attendre encore quelques jours puis faire éclater un scandale. Elle viendrait me voir et l'on se tuera ensemble. » Moi qui n'avais qu'une envie : vivre ! Et j'avais même failli en mourir !

Dans une autre lettre elle revient à la charge : « J'ai envie de mourir... Pourquoi vivre ? Je voulais vivre avec toi, pas sans toi. » Sa dernière tentative de suicide était pour elle une manière de communiquer avec le monde en lui exhibant son malheur.

Bien entendu, sa sortie de clinique ne se fit pas en catimini. Brigitte a donné une conférence de presse « improvisée ». De la grande Bardot ! On la retrouvait digne et émouvante, arrachant des larmes de compassion à la France entière : cette belle fille n'avait décidément pas de chance. Même si elle n'avait pas calculé son coup de blues au départ, le résultat était excellent pour la promotion du film. Son staff se frottait les mains. Brave Brigitte, toujours si professionnelle...

Je pouvais croire que j'étais enfin hors jeu. Mais j'étais une fois de plus rattrapé par sa notoriété. Hormis le fait que j'étais nommément mis en cause par la presse, je ne pouvais pas sortir sans que les gens m'arrêtent dans la rue pour me parler d'elle, sans voir son nom et sa photo en couverture des magazines. Brigitte restait omniprésente, les journaux m'informaient de sa vie dans les moindres détails. Je réalisais peu à peu qu'elle allait continuer à me poursuivre malgré moi, telle une sangsue qui vous colle à la peau, peut-être jusqu'à la fin de mes jours.

*

* *

De retour à Paris après mon exil colombien, je décidai de remettre de l'ordre dans ma vie.

Je dénichai un studio à louer rue de Longchamp. Une fois installé, seul, j'ai commencé à reprendre contact avec le milieu du cinéma. Je savais que j'aurais du mal à me remettre en selle, mais il y avait encore quelques âmes bienveillantes pour me soutenir et me conseiller judicieusement. Et, dans ce contexte plutôt défavorable, des projets sérieux prenaient corps, aussi bien en France qu'en Italie.

Un après-midi, on sonne à la porte de mon appartement. J'ouvre : Brigitte est là, devant moi.

Elle devait être amoureuse car je la trouvai plus radieuse que jamais. Elle était époustouflante de beauté : son teint était lumineux, ses yeux brillaient comme des diamants, ses courbes auraient donné le mal de mer au marin le plus aguerri !

Elle s'excusa pour le passé. Elle alla jusqu'à reconnaître qu'elle avait « commis des erreurs » : le tournage de son dernier film l'avait fortement perturbée, elle n'était plus vraiment maîtresse d'elle-même. Elle avait besoin de conseils, de secours, parce que tout le monde la détestait, l'exploitait. J'avais l'impression d'écouter un vieux disque rayé. Je me voyais près de deux ans en arrière, lors de notre premier rendez-vous. J'entendais exactement le même discours. Sans doute faisait-il craquer tous les hommes.

C'est la fameuse histoire du scorpion qui demande à la grenouille de l'aider à traverser la rivière. La grenouille s'inquiète : « Tu ne vas pas me piquer, au moins ? » L'autre répond : « Mais non, voyons, puisque je ne sais pas nager ! » La grenouille accepte, le scorpion monte sur son dos. Mais à mi-parcours, le voilà qui pique la pauvre grenouille. Celle-ci se meurt : « Mais tu m'avais promis... » Et le scorpion répond en coulant : « Je n'y peux rien, c'est dans ma nature... »

– Est-ce que tu crois que nous deux, c'est fini ? me demanda Brigitte, allumeuse.

Ma décision était sans appel. Je lui expliquai qu'elle était trop instable, trop capricieuse, trop..., trop... Sans lui avouer toutefois que j'étais heureux dans ma nouvelle vie. Je n'avais aucune haine. J'étais bien dans ma quiétude et j'avais envie de le rester.

Et pourtant, Dieu qu'elle était aguichante ! Quel démon ! Je me forçais à ne pas penser à son corps et je ravalais mon désir. Surtout ne pas la prendre dans mes bras. Ne pas m'approcher trop près, de peur d'être piqué par le scorpion... ou la veuve noire. Oublier des sensations, un parfum, un grain de peau. J'étais encore en sevrage, je me battais pour ne pas replonger.

Ce jour-là, je fus définitivement sauvé.

*
* *

John Kennedy venait d'être élu président des États-Unis. Je partais pour un tournage à Rome. Dans l'avion je somnolais lorsqu'une voix féminine me réveilla :

– Dis donc, Jacques, tu étais plus audacieux, il y a quelques années !

Je me tournai vers cette femme que je reconnus aussitôt, c'était Claudia Cardinale. Je bafouillai quelque chose comme :

– Madame, vous devez confondre...

– Tu ne te souviens pas de moi ? J'étais la petite brune à qui tu tirais les tresses à l'école communale de Salammbô, à côté de Carthage.

Claudia, mais oui, bien sûr ! Si, je me souvenais ! Comme elle était pétulante déjà, Claudia, dans son rôle d'écolière ! Et dire que je n'avais jamais fait le rapprochement entre elle et la vedette du *Pigeon* de Mario Monicelli ! Nous avons bavardé, évoqué nos souvenirs d'enfance, la mer turquoise, le ciel azuré, le sable chaud.

Puis Claudia a regagné sa place. Je ne l'ai jamais revue. Mais peu importe. Je sais bien que là-bas, à Carthage, sur les bancs de notre classe, je continue de lui tirer les tresses.

Je suis arrivé à Rome pour tourner mon premier film en Italie, *Carmen*, énième adaptation de *Carmen* au cinéma, avec notamment Giovanna Rali et Lino Ventura. Le metteur en scène se nommait Carmine Galone, et le tournage se déroulait à Cinecittà, le temple du cinéma italien, l'équivalent mythique de Hollywood.

Lino et moi savions bien que le film ne serait pas un chef-d'œuvre impérissable. Quelle importance ! Je découvrais l'Italie. Avec toute l'équipe du film, je passais quelques semaines de gaieté sous le soleil romain, oubliant les mois douloureux que je venais de vivre en France.

De retour à Paris, j'ai filé embrasser mon fils. Depuis que Brigitte était venue me voir dans mon studio, nous étions convenus que je pouvais librement rendre visite à Nicolas avenue Paul-Doumer. Il était choyé par Moussia, la nounou qui prenait soin de lui comme de son propre enfant. Je gardais le secret espoir de récupérer mon fils un jour. Mais comment faire, d'autant que Brigitte et moi n'étions pas encore divorcés ? J'attendais d'entamer la procédure de divorce pour aborder la question avec elle.

*
* *

Dans l'immédiat, je devais m'occuper de cette épée de Damoclès toujours suspendue au-dessus de ma tête : mon incorporation. Je devais à nouveau affronter cette machine implacable, l'armée.

Avant ma nouvelle convocation, je rendis visite à mes parents à Montpellier. Là, je profitai d'un aparté avec mon père pour m'ouvrir à lui. Je savais qu'il m'aimait tendrement, et que ses conseils me seraient précieux.

– Tu peux tout me dire, m'affirma-t-il. Je ne suis pas là pour te juger.

Je lui exposai en détail la situation dans laquelle je me trouvais vis-à-vis de l'armée. Il m'écouta avec attention et bienveillance.

– Tu sais, Jacques, me dit-il, je me suis trouvé un jour dans un contexte analogue, où j'avais à faire un choix difficile. Lorsque les Allemands ont envahi la Tunisie, nous devions les accueillir car l'armée française était sous la tutelle du gouvernement de Vichy. Mon sentiment patriotique m'obligeait à me rebeller. Comme je commandais une batterie de DCA, je pouvais détruire une demi-douzaine d'avions. Mais j'aurais été arrêté, déporté ou fusillé. J'ai pensé à ma femme et à mes six enfants. J'avais le choix entre devenir un héros mort ou espérer un jour retrouver les êtres que j'aimais. Plutôt que de finir en martyr, j'ai choisi de rejoindre les forces de la France libre. Bien sûr, ton dilemme est très différent, mais ce que je veux dire, c'est que ton choix doit être simple : quelles que soient les circonstances, tu dois toujours choisir l'appel de la vie, c'est-à-dire ton avenir.

Comme mon père, j'ai donc décidé de me rebeller face à des ordres contraires à mes convictions. Et comme lui, je ne voulais pas pour autant être érigé en martyr en étant considéré comme un objecteur de conscience.

Le conflit algérien était un drame national. Les pouvoirs spéciaux avaient été votés. Le couvre-feu était décrété dans les grandes villes, et chaque semaine de nouveaux attentats étaient perpétrés. L'armée quadrillait les rues. La France était en état de siège.

J'avais rapidement compris que la guerre d'Algérie n'était pas la mienne. Je savais que toutes les guerres nationalistes sont gagnées d'avance par les opposants, pour peu qu'ils aient le soutien du peuple, comme en Algérie. Je ne refusais pas d'aller me battre par peur. Si j'avais eu l'âge d'être enrôlé pendant la Deuxième Guerre mondiale, je me serais engagé sans hésiter dans le combat anti-nazi. Mais en Algérie, la France menait une guerre d'un autre temps. Les politiciens qui y avaient fourvoyé notre pays faisaient peu de cas de la jeunesse. Je me sentais aussi solidaire de ceux qui s'opposaient aux armes que de ceux qui étaient partis mourir pour une cause perdue.

Je n'en étais plus à vouloir sauver la vie d'une femme et d'un enfant : ma résistance s'apparentait à un combat, une prise de conscience plus globale. Je commençais à détester les uniformes de toutes nations. Au cours d'une réunion de pacifistes, je rencontrai l'anarchiste Louis Lecoin, un homme qui avait consacré sa vie à lutter contre toutes les batailles. J'avais été séduit par la phrase qui ornait son journal *Liberté* : « Rien de ce qui est humain ne m'est étranger. » Cette générosité me changeait des frivolités de l'univers du cinéma et des préférences animalières de Brigitte Bardot. Lecoin se battait pour que soit votée une loi reconnaissant le statut d'objecteur de conscience : tout citoyen pouvait refuser de porter les armes et de tuer d'autres hommes. Un choix que Léo Ferré chantait ainsi dans *Miss Guéguerre* :

> *Si tu n' veux pas « Allez enfants de la patrie »...*
> *Si tu n'veux pas qu'on t'fout'un flingue*
> *Dans tes dix doigts*
> *C'est p' têt' ton droit.*

Lecoin m'incita à lire Bakounine, Proudhon, Kropotkine. Mais, malgré cette rencontre, et bien que séduit par les théories libertaires, je refusais toujours de devenir membre d'une quelconque organisation. Pourtant, une affiliation aurait pu m'aider. Les partis politiques ont des amis influents et haut placés, et savent faire jouer leurs relations. Il me suffisait de prendre une carte, et mon cas militaire aurait pu se régler très vite. Mais je me souvenais de Paul Valéry parlant de l'engagement politique : « Seules les huîtres adhèrent. » Je voulais être un homme libre, pas un mollusque.

*
* *

Un matin froid de novembre, je trouve une convocation dans ma boîte aux lettres. L'ordre était urgent. Je devais me présenter à l'hôpital Begin à Saint-Mandé sous quarante-huit heures.

À peine arrivé, j'ai immédiatement été conduit en cellule. Le programme était celui-ci : trois jours en observation puis expédition vers ma caserne d'Orange. Ce retour là-bas était hors de question.

Ma première expérience en hôpital militaire m'avait incité à la prudence : j'avais caché une lame de rasoir dans mes pantoufles. Je savais que le soir, avant de quitter son service, l'infirmière de garde ferait sa ronde habituelle et passerait me voir. Lorsque j'ai entendu la valse des portes qui claquaient, j'ai attrapé ma lame de rasoir, et je me suis tailladé les veines.

Cette fois-ci, comme la première, loin de moi l'idée de mourir. Je voulais vivre, et surtout voir mon fils grandir. Mais ma détermination était sans faille : j'avais décidé que l'armée française ne m'aurait pas. Jamais je ne lui donnerais trois années de ma vie. J'avais déjà un passé chargé dans les archives militaires, il me fallait frapper vite et fort, à la première occasion.

L'infirmière est entrée dans ma chambre pour me souhaiter bonne nuit et m'avertir qu'elle reviendrait me voir le lendemain. Elle s'est approchée de mon lit. Soudain, elle a poussé un cri strident à la vue du sang répandu sur le lit et au sol.

Branle-bas de combat ! On accourt de toutes parts. Garrot, perfusion. Et pour la deuxième fois, je suis transféré au service « neuro B » au Val-de-Grâce. Je rêvais autrefois d'être sociétaire de la Comédie-Française, et j'étais devenu sociétaire des services neurologiques de l'armée française...

J'ai vécu un mois épouvantable sous surveillance permanente, dans une cellule de l'hôpital militaire. À nouveau les ruses pour recracher en douce les sédatifs. Heureusement, je tombai sur un médecin militaire, appelé du contingent. Sa compréhension me permit d'éviter la torture des électrochocs à répétition. Surtout tenir jusqu'au bout. J'étais épuisé, amaigri, mais je n'ai pas craqué. L'échéance de la décision sur mon sort approchait...

Après cinq semaines de ce régime spécial, je suis convoqué dans le bureau du médecin. Consternation, je suis encore réformé temporaire. Je ne peux pas y croire ! Pourquoi cet acharnement ? Ils veulent vraiment ma peau.

Je sors livide du bureau. Dans le couloir, le médecin ami me rattrape :

– Je comprends ce que tu ressens. Mais l'armée ne te lâchera pas ! Même à l'article de la mort, tu n'obtiendras qu'un sursis. Ils veulent un exemple. Tu as défrayé la chronique, ton affaire est devenue publique. On t'a montré du doigt, dénoncé comme un mauvais Français. Si tu étais réformé maintenant, d'autres pourraient s'engouffrer dans la brèche et réclamer la même faveur.

– Alors je suis poursuivi par la raison d'État, en somme.

– C'est un peu ça.

En dernier recours, un officier d'état-major m'avait proposé une mutation dans un bureau à Paris, en m'assurant que ce compromis arrangerait tout le monde. L'armée d'abord, qui voulait avoir gain de cause, et moi, puisque je bénéficierais d'un régime de « privilégié » me permettant de rentrer chez moi le soir. Accepter, c'était pactiser avec le diable. Je refusai.

Je me suis retrouvé dehors, avec mon nouveau sursis en poche, le moral au plus bas. J'étais étranglé par un sentiment d'injustice inimaginable. Je n'avais jamais reculé devant aucun sacrifice dans l'espoir d'en finir avec l'armée. Et je restais prisonnier d'une tragédie en trois actes. Rendez-vous l'année prochaine, pour la troisième et dernière fois, selon la loi militaire en vigueur.

Je marchai longtemps, sans but, ma valise à la main. Nous étions entre Noël et le jour de l'An, et pourtant les rues n'étaient pas illuminées de guirlandes, les vitrines n'étaient pas décorées. Le climat n'était pas à la fête.

J'échouai sur un banc au jardin du Luxembourg. Fallait-il courber l'échine, accepter de marcher au pas ? Mais alors tout le chemin parcouru jusqu'alors n'aurait servi à rien. Et je pensais à la jubilation de ceux qui, à l'état-major, avaient décidé de me briser. Non, je ne pouvais pas céder. Personne ne me persuaderait de changer mon fusil d'épaule...

J'étais en train de jouer mon meilleur rôle ! Le plus difficile aussi de toute ma carrière.

J'étais le rebelle solitaire, victime de la raison d'État. Bien mis en scène, j'aurais pu mériter un Oscar. Mais seul, enfermé dans ma cellule, je n'avais intéressé personne. Et après tout, je ne pouvais m'en prendre qu'à moi-même.

Sur mon banc, je me laissais engourdir par le froid et la fatigue.

8

Un homme libéré

L'année 1961 démarre sur les chapeaux de roue. Jacques Anquetil boucle son deuxième Tour de France victorieux, tandis que Youri Gagarine s'envole dans l'espace et effectue le premier tour de la planète. Sur terre, le « mur de la honte » se construit à Berlin et, en France, les amateurs de vins se réjouissent du millésime du siècle.

Année noire pour la littérature : mort de Céline, d'Ernest Hemingway et de Blaise Cendrars. Pour se consoler, on peut écouter Bobby Lapointe chanter *Aragon et Castille*, ou regarder Zizi Jeanmaire agiter son *Truc en plumes.*

De mon côté, je cours toujours après ma réforme définitive. En revanche, je suis libéré de B.B.

Enfin, presque. Car le tube de l'année est une chanson que Marie-France Brière, future directrice des variétés à la télévision, a rapportée du Brésil. On entend partout : « Brigitte Bardot, bardooot, Brigitte, c'est beau, c'est beau... ! » Pas moyen d'y échapper.

Au cinéma, on peut voir *Une femme est une femme* de Jean-Luc Godard, *L'Année dernière à Marienbad* d'Alain Resnais et *Accatone,* le premier film d'un singulier réalisateur italien, Pier Paolo Pasolini.

L'Italie, justement, m'ouvre les portes des studios. Je rencontre Giuliano Montaldo qui prépare un film sur les derniers jours de la République sociale-fasciste de Saló. Et que me propose-t-il ? Je vous le donne en mille ! Un rôle de sergent ! Encore un militaire ! Décidément, je ne m'en sortirai jamais. Mais Montaldo se montre convaincant, je finis par accepter, d'autant que je vais avoir pour partenaire une superbe actrice rousse, Eleonora Rossi-Drago. Plus tard, c'est le même Montaldo qui réalisera *Sacco et Vanzetti.*

Pendant le tournage, je me lie d'amitié avec Francesco Rabbal, l'acteur espagnol héros de nombreux films de Buñuel. Avec lui commence la *dolce vita*, dans cette ville de Rome aux façades ocre jaune, faite pour le plaisir. Je veux rattraper du bon temps et profiter enfin de ma jeunesse. Et dans cette course à la volupté, Francesco était le compagnon idéal.

Un soir, nous dînions ensemble dans un cabaret romain. À une table voisine trônait, énigmatique et sublime, Ava Gardner, l'héroïne de *La Comtesse aux pieds nus*, film que j'avais vu au moins dix fois au cinéma, avec le même trouble. Comment ne pas être fasciné ? Malgré moi, je ne la quittais pas des yeux. Francesco s'en aperçut et se pencha vers moi.

– Tu veux que je te la présente ?

– Pourquoi ? Tu la connais ?

Francesco connaissait Ava Gardner ! Quel ami précieux j'avais là !

Nous avons rejoint la table de la dame. Elle était encore plus belle de près. Francesco a fait les présentations. La divine créature m'adressa un sourire à damner tous les saints. À ce moment précis, le roi n'était pas mon cousin.

Je l'invite à danser. Elle se lève. Je l'ai prise dans mes bras, et nous avons dansé quelques slows les yeux dans les yeux. Je tenais ma chance. Bon copain, Francesco s'est éclipsé, me laissant seul avec elle.

Tard dans la nuit, nous avons pris un dernier verre dans la suite de son hôtel. Ensemble, mais pour nous seuls, nous avons rejoué les scènes les plus torrides de *La Comtesse aux pieds nus*.

Au cours de ces virées nocturnes, j'ai rencontré Marcello Mastroianni, avec lequel j'ai immédiatement sympathisé. Lui aussi a beaucoup contribué à me faire aimer Rome. On lisait tant d'ironie, de désinvolture et d'intelligence dans son regard qu'il était impossible de ne pas tomber sous son charme. Il avait de surcroît le don d'inspirer une confiance immédiate.

Je venais d'être retenu pour le rôle principal d'un film en préparation, *Le Bel Antonio,* de Mauro Bolognini. Mais alors que le contrat était sur le point d'être signé, j'ai appris que Nicolas venait d'être victime d'une primo-infection. Une mauvaise cuti-réaction. Moussia m'a prévenu que mon petit risquait une tuberculose.

Fou d'inquiétude, je pris le premier avion pour Paris. J'ai aussitôt averti le réalisateur de ne pas compter sur moi, car je voulais rester auprès de mon fils. Et finalement Marcello a tourné au pied levé *Le Bel Antonio* – avec le succès que l'on sait...

Heureusement, les médecins ont très vite pu me rassurer. Soigné au Rimifon, Nicolas serait tiré d'affaire, mais au prix d'un long traitement. L'alerte avait été chaude.

Une fois de plus, les impératifs de ma vie privée venaient contrarier ma carrière. Une fatalité ? Peut-être. En tout cas, je n'avais pas hésité une seule seconde à annuler mon projet : la vie de mon enfant l'emportait sur tout le reste.

Nicolas, à l'époque, vivait toujours chez sa mère. Ou plus exactement dans l'appartement voisin, avec sa nounou. À chaque fois que je le voyais, je pensais au moment béni où peut-être je pourrais enfin obtenir sa garde et m'occuper de son éducation. Brigitte n'avait quasiment jamais de temps à lui consacrer. D'ailleurs, n'avoue-t-elle pas, dans son livre : « De nous deux, c'est Jacques qui avait la fibre maternelle » ?

Mes rapports avec Brigitte restaient courtois. Chacun menait sa vie de son côté. La séparation nous allait bien. Nous commencions à évoquer l'éventualité d'un divorce. J'en avais parlé à un ami proche, Gilles Dreyfus, alors étudiant en droit. Je tenais à ce qu'il me représente. Mais il n'avait pas encore soutenu sa conférence de stage. Je ne voyais pas d'inconvénient à attendre un an. Ma future ex-femme non plus. Pourquoi presser les choses ?

Durant plusieurs mois, j'enchaînai film sur film. Mais l'armée française ne m'avait pas oublié. Je restais à la merci d'une prochaine et ultime incorporation. Ma détermination était toujours aussi forte, je savais que l'heure de ma réforme définitive viendrait un jour. Je n'avais donc aucune appréhension en attendant ma nouvelle convocation.

Pourtant, la « question algérienne » ne se réglait pas. Curieusement, au fur et à mesure que se multipliaient les efforts de paix, le pays s'enfonçait un peu plus dans la guerre. La métropole vivait dans une véritable psychose. Au printemps 1961, les généraux partisans de l'Algérie française tentèrent un putsch militaire. En pleine nuit, le ministre de l'Intérieur, Michel Debré, intervint à la radio et à la télévision pour inviter les citoyens à « sauver la République ». On annonçait que les parachutistes allaient atterrir à Paris pour renverser le pouvoir gaulliste. Et au milieu de la nuit, une foule impressionnante, « à pied, à cheval, en voiture », comme l'avait demandé le ministre, convergea vers les aérodromes où les factieux risquaient de débarquer. Mais on ne vit jamais rien venir... L'insurrection d'Alger avait sombré dans la déconfiture.

La France s'était fait peur. Mais les partisans de l'Algérie française s'organisaient. Farouchement opposé à de Gaulle, le général Salan prenait la tête de l'OAS (Organisation armée secrète). De nombreux attentats sanglants, aussi bien sur le sol algérien qu'en métropole, n'empêchèrent pas l'ouverture des négociations entre le gouvernement français et les représentants du FLN à Évian. Dans le même temps, les manifestations pacifistes organisées à Paris étaient violemment réprimées, faisant de nombreux morts.

Ma convocation tomba au tout début de l'année 1962.

*

* *

Cette convocation m'ordonne de me rendre à la base militaire de Villacoublay le 5 février. Dès mon arrivée, les autorités militaires me font monter dans un avion-cargo, en compagnie d'une poignée de soldats. Direction l'Algérie !

À l'atterrissage, au bureau Transit Air 250 d'Alger, je suis immédiatement réceptionné par un officier au verbe cassant :

– Puisqu'il n'est pas question que vous passiez au travers des mailles du filet, vous n'avez qu'une chose à faire : vous plier à nos injonctions, et vous ferez votre service dans les meilleures conditions. Autrement...

– Autrement ? demandai-je.

– Autrement, vous aurez tout lieu de vous en faire. Ici, nous ne sommes pas à Paris. Mes supérieurs m'ont intimé l'ordre de vous convaincre de rentrer dans le rang. À n'importe quel prix.

– Et si je refuse ?

– Si vous refusez, je vous garantis que vous le regretterez.

Ce chantage était insupportable.

– Je ne regretterai rien, car vous ne m'aurez pas vivant.

L'officier me fit conduire sur-le-champ dans une cellule de l'hôpital Maillot, où je devais rester quatre mois.

Pendant ce temps, la violence sévit de plus belle : une seconde guerre oppose les barbouzes gaullistes aux activistes de l'OAS. Pris en étau, les soldats du contingent subissent les massacres des uns et des autres. Depuis sa clandestinité, le général Salan appelle au soulèvement :

– Je donne l'ordre à nos combattants de harceler toutes les positions ennemies !

En l'espèce, les « positions ennemies » sont aussi bien les fellaghas partisans de l'indépendance que l'armée régulière représentant le gouvernement français coupable de négocier avec l'ennemi. Il règne une tension sans précédent. Dans toutes les villes, les « nuits bleues » se succèdent, au rythme des mitraillages, des plasticages, des exécutions sommaires et autres assassinats.

À l'hôpital Maillot, au milieu d'une cour des miracles, je découvre l'horreur. Un spectacle qui doit ressembler à l'enfer. Je vois là des malheureux qui ont connu les pires humiliations. Des loques humaines. Choqués. L'un d'eux a erré une semaine dans le désert après avoir été torturé par les fellaghas. Un autre a vu sa compagnie se faire décimer sous ses yeux. Certains mangent leurs excréments. D'autres défèquent sur leur polochon et passent le reste de la journée à se masturber dessus. D'autres encore, victimes de *delirium tremens*, imaginent des rats qui courent sur leur matelas. Un caporal de la coloniale, devenu fou, se tue devant moi en se fracassant le crâne contre les murs.

La nuit, j'entends hurler à la mort.

Derrière les barreaux de ma cellule, j'aperçois l'infirmerie qui accueille les urgences. Des ambulances sortent de jeunes garçons, broyés, étripés. Des militants de l'OAS comme des soldats du contingent. L'égalité devant la boucherie…

Trois de mes frères luttent déjà en Algérie. Or la loi stipule que nul individu n'est tenu d'être enrôlé, si un seul de ses frères combat en Algérie. Si j'étais un citoyen ordinaire, je serais relâché immédiatement. La loi est bafouée au nom de l'exemplarité !

Un sas creusé dans un mur nous permet, en baissant la tête, de sortir dans une petite cour surplombée par Bab-el-Oued. Entre ce quartier et l'hôpital Maillot, une rue débouche sur la baie d'Alger. On y entend souvent des convois passer. Un jour j'aperçois, depuis la cour, des hommes en armes sur les toits des maisons, tirant sur des camions militaires. Je comprends tout de suite que c'est un attentat de l'OAS. Le cessez-le-feu a été proclamé le 19 mars, suite aux accords d'Évian, mais les membres de l'OAS n'y voient qu'un chiffon de papier.

Sans réfléchir, par défi, je leur lance un bras d'honneur. Aussitôt, une rafale de mitraillette s'abat sur la cour et fait éclater le ciment juste au-dessus de ma tête. Je me plaque au sol sous une pluie d'éclats. Et je rampe jusqu'à ma cellule en me traitant de tous les noms.

Il faut être inconscient pour risquer de se faire tuer aussi bêtement, à quinze jours de la libération.

Je suis à bout de forces, décharné, mais je ris tout seul sur ma paillasse. Comme tous les autres cinglés...

Le 18 mars 1962, la signature des accords d'Évian met un terme à une guerre qui aura duré sept ans et fait des centaines de milliers de morts.

Le 12 avril, on me remet mon avis de réforme définitif !

Quatre jours auparavant, les Français se sont prononcés à 91 %, par voie de référendum, pour l'indépendance de l'Algérie. Celle-ci deviendra officielle le 3 juillet 1962.

Tous ces morts inutiles...

*
* *

Me voilà de retour à Paris. J'ai laissé des plumes en Algérie, mais je suis libre ! J'ai vingt-cinq ans et, après mon cauchemar carcéral et mes déboires conjugaux, je décide de cultiver le bonheur jusqu'à la fin de mes jours. Je chante avec Piaf : « Non, rien de rien, non, je ne regrette rien... C'est payé, balayé, oublié, je me fous du passé. Balayés les amours, avec leurs trémolos, balayés pour toujours, je repars à zéro. »

J'ai enfin toute latitude pour organiser ma vie et surtout réaliser le projet qui me tient le plus à cœur : obtenir la garde de mon fils. Mon fils, ma bataille.

Mon ami Gilles Dreyfus, fraîchement inscrit au barreau de Paris, se charge d'engager la procédure de divorce. Le climat n'est plus passionnel, le divorce devrait passer comme une lettre à la poste. Surtout que j'ai une botte secrète...

Le jour de la conciliation au Palais de Justice, arrive le moment crucial d'évoquer la garde de Nicolas. Je m'isole dans un couloir avec Brigitte. Je lui tiens à peu près ce discours :

– Tu sais comme moi à quel point il est difficile de nos jours d'élever un enfant. Un garçon peut être très turbulent, c'est une lourde responsabilité, qui implique des sacrifices : une présence permanente et un coût financier important.

Elle opine du chef. Sentant le terrain favorable, je lui mets le marché en main.

– Accorde-moi la garde de Nicolas et je te promets de prendre en charge tous les frais de son éducation. Bien entendu, tu pourras le voir quand tu voudras. On peut même le faire préciser par écrit...

– Tu t'engages à prendre en charge tous les frais jusqu'à sa majorité ?

– Tu n'auras plus un centime à débourser, c'est juré !

– Je te remercie de ta franchise. Je trouve ça chic de ta part de me proposer cet arrangement. C'est vrai que je ne me sens pas une grande fibre maternelle – ça viendra peut-être...

Elle rit avant d'ajouter, avec sa moue habituelle :

– Tu sais, Jacques, j'ai tellement de frais ! La Madrague, mon appartement à Paris, la maison de Bazoche (une propriété qu'elle avait acquise après la Madrague), et puis tous mes animaux. Je les aime mais Dieu qu'ils me coûtent cher ! C'est tellement lourd pour une femme seule... Je suis complètement d'accord avec ta proposition. Et puis, si Nicolas fait des bêtises plus tard, il est préférable que ce soit son père qui s'en occupe...

Je la sens déchargée d'un grand poids. Quant à moi, je tente de dominer la jubilation qui m'envahit. Brigitte m'abandonne ses droits de mère sans aucune difficulté. J'ai utilisé son talon d'Achille pour la convaincre.

Je n'oublie pas de la flatter.

– Tu viens de révéler la beauté de ton âme : je sais que tu agis uniquement pour le bien de notre fils.

– Merci, Jacques.

Et elle m'embrasse.

Il me faut maintenant entériner notre accord amiable le plus vite possible. Nous voilà devant le juge.

– Monsieur le juge, lui annonce triomphalement Brigitte, vous n'aurez pas de mal avec nous : nous n'avons aucun désaccord.

Et elle lui révèle les termes de notre précédente conversation.

– Madame, je dois vous dire que la loi vous autorise de plein droit la garde de votre enfant.

– Oui, mais vous savez, il vaut mieux qu'un garçon soit éduqué par son papa.

– Comme vous voudrez, madame.

– Est-ce qu'on peut préciser dans le jugement que je n'aurai pas de pension alimentaire à verser ? minaude Brigitte. Pour éviter les problèmes, il faut que tout soit bien clair entre nous, vous comprenez...

Je lis dans le regard du juge qu'il a parfaitement compris :

– J'aimerais des conciliations comme celle-ci tous les jours...

Brigitte et moi nous séparons sur ces entrefaites. En descendant les marches du Palais de Justice, j'inspire à grands poumons, et j'invite Gilles à fêter la victoire.

Ce jour-là, je savais que Nicolas était sauvé.

Il paraît que lorsque Brigitte annonça à sa mère qu'elle venait de me confier la garde de Nicolas, elle reçut une gifle mémorable.

Dans son livre, elle explique que son souci majeur était d'assurer à Nicolas une « éducation équilibrée dans un environnement sain ». Sans doute. Mais elle s'interroge à juste titre : « Avais-je vraiment l'envie, le temps, la patience de consacrer les trois quarts de ma vie à l'éducation de mon fils ? Quelle mère [aurais-je été] ? Une femme encore gamine dans son comportement qui n'avait aucun équilibre, incapable d'assumer sérieusement un enfant... Qu'un enfant soit stressé à vie parce que sa mère change d'amants comme de chemises au rythme des saisons et des états d'âme, des disputes ou des rencontres... »

Je pourrais signer des deux mains ces lignes qui sonnent comme un aveu. Seulement Brigitte oublie qu'elle accéda à ma demande pour la raison essentielle évoquée plus haut. Et le fait qu'elle condescende à « assumer [sa] part de responsabilité dans cet échec » ne change rien à l'affaire.

*
* *

Dans la semaine qui suivit le jugement, j'organisai mon nouveau cadre de vie. Il me fallut trouver un havre où Nicolas puisse vivre agréablement, près de Paris, afin de pâtir le moins possible de la séparation de ses parents. Mon ami Jean-Jacques Debout m'indiqua une maison à louer à Montfort-l'Amaury, un délicieux village médiéval des Yvelines. C'était une propriété de charme avec un grand jardin et des arbres centenaires. Je m'y installai aussitôt avec Nicolas, et Moussia, sa nounou.

La maison ne désemplissait pas. La porte de l'Ermitage restait constamment ouverte aux amis, célèbres ou inconnus : l'adorable Chantal Bolloré, dont la plume s'exerçait dans le magazine *Jours de France*, le séduisant Jean-Jacques Villet, l'espiègle Gilles Dreyfus devenu l'avocat des stars, la pétillante Lili Setton, et Gilles Durieux, poète de Montparnasse. Et puis Jean-Pierre Cassel, Françoise Dorléac, Eddy Constantine, mais aussi Charles Aznavour, mon partenaire dans *Les Dragueurs*, qui habitait tout près. Son éditrice musicale, Mme Raoul Breton, surnommée « la Marquise », était aussi une voisine. On se rendait souvent visite les uns aux autres. Un soir, j'eus la surprise de voir arriver « la Marquise » au bras de Charles Trenet. À mon grand étonnement, il se souvenait parfaitement du petit gars de Montpellier qu'il avait croisé autrefois dans une rue de Paris ! Avec lui et, au piano, mon ami Jean-Jacques Debout qui imitait Trenet à la perfection, nous avons passé des soirées inénarrables...

L'immense producteur américain Darryl Zanuck, qui faisait la pluie et le beau temps à Hollywood, ratait rarement une occasion de s'arrêter à l'Ermitage lorsqu'il venait en France. Fasciné par son métier, je lui confiais qu'un jour ou l'autre je m'essayerais à la production. Caustique, il faisait vite le tour de la question :

– Mon cher Jacques, tu n'as que trois films à faire en France : *Cyrano de Bergerac, La Dame aux camélias* et *Les Trois Mousquetaires !* Avec ces trois histoires romanesques, c'est gagné d'avance.

La même année 1963, je signai pour le rôle principal du film *La Dame aux camélias*, produit par la compagnie de Darryl, la Twentieth Century Fox. Je devais tourner sous la direction de Marcel Carné, qui m'avait donné ma première chance au cinéma. J'ignore encore pour quelle raison le film ne se fit pas. Mais Darryl eut l'élégance d'honorer l'intégralité de mon contrat.

Ma carrière d'acteur reprenait. Je tournai bientôt *À cause d'une femme*, une comédie mise en scène par Michel Deville, qui avait eu la bienveillance de m'attendre un an. Puis *La Vie conjugale*, avec Marie-José Nat qui formait à la ville un couple attachant avec le brillantissime cinéaste Michel Drach. Sur le thème de la désagrégation conjugale, le réalisateur André Cayatte avait eu l'idée originale de tourner, à la Pirandello, deux films distincts, qui traitaient la version de la femme et celle du mari. Et les deux films étaient projetés en simultané dans deux cinémas différents à Paris. Au spectateur de reconstituer la vérité…

J'enchaînai en jouant dans un film d'Antoine Bourseiller, *Marie Soleil,* avec Danièle Delorme ; puis dans *La Main chaude*, le premier film de Gérard Oury avec ma partenaire Macha Méril.

Bref, après trois années difficiles, je pouvais voir de nouveau la vie en rose. J'avais obtenu la garde de mon fils, j'habitais une maison délicieuse, entouré d'amis fidèles, et je renouais avec mon métier de comédien.

*
* *

Courant 1963, je reçois un télégramme adressé par la princesse Achraf, la sœur jumelle du shah d'Iran. Elle m'invite aux cérémonies données au palais impérial de Téhéran pour célébrer le dixième anniversaire de la télévision iranienne. Je suis même sollicité pour « représenter la France ». J'apprends que la grande actrice italienne Anna-Maria Pierangeli doit également participer à l'événement. Le séjour promet d'être exotique. J'accepte l'invitation.

Sur le chemin, je fais un saut à Rome pour conduire Anna-Maria jusqu'à bon port. Arrivés à Téhéran, nous voici installés chacun dans une splendide suite de palace. Puis le service d'ordre du palais vient nous chercher pour répéter le protocole de la soirée. Ensuite, en route vers les plateaux de télévision. Chaque personnalité devait faire une prestation devant un public d'invités triés sur le volet.

Anna-Maria et moi nous retrouvons donc devant les caméras pour les répétitions. Le présentateur commence par questionner la belle Italienne, lui suggère de parler de Rome, de la culture et de la cuisine de son pays. Puis il se tourne vers moi, et me lance d'un air entendu :

– Comme d'habitude.

Les deux seuls mots de la langue française qu'il connaissait.

Comme d'habitude ? Mais de quoi parlait-il ? J'essayai d'en savoir plus. En vain. Il régnait sur le plateau une agitation proche de la pagaille, et l'interprète restait introuvable. Je me dis que, « comme d'habitude », il me suffisait d'évoquer Paris, la mode, le théâtre, les musées français... Rien de bien compliqué. J'étais tranquille.

Une heure après, l'émission se déroulait en direct, ce qui ajoutait à la fébrilité ambiante. Anna-Maria parla avec tout son charme de Rome, du cinéma néo-réaliste, de la *dolce vita*, du vin italien, du Coliseum...

Son intervention terminée, le présentateur se tourne vers moi. Il me fait signe d'aller m'installer devant un micro posé sur une estrade. Pour éviter la monotonie de deux entretiens successifs, il a peut-être décidé de m'interviewer debout... Ma foi, je n'y vois pas d'inconvénient. Je suis prêt à répondre aux questions, lorsque soudain l'ingénieur du son fait partir une mélodie. Dès les premières notes, je reconnais la voix de...

Je n'en crois pas mes oreilles : ils m'ont pris pour Sacha Distel !

Tout le plateau, et tous les Iraniens derrière leur poste attendent que j'entonne la chanson qui faisait alors la renommée du chanteur à l'étranger. Impossible d'expliquer qu'il y a erreur sur la personne. Nous sommes en direct, il faut bien sauver les meubles et enchaîner. Ni une, ni deux, je commence à remuer les lèvres sans chanter, comme pour un playback :

– Des po-o-o-mmeu, des poi-a-a-reu, et des scoubidou-bidou-ha...

Je fais le clin d'œil à la caméra, je claque des doigts, et j'esquisse un semblant de déhanchement. À la fin du morceau, je remporte un triomphe mérité. Grâce à moi, l'honneur de « la France » est sauf.

Beaucoup plus tard, au hasard d'une rencontre, j'ai raconté à Sacha mon aventure rocambolesque : il se tenait les côtes de rire.

Je n'étais pas au bout de mes surprises orientales. Après l'émission, soirée de gala au palais impérial. Je me faufile parmi une foule d'invités. Tout à coup, j'aperçois un petit bout de femme haute comme trois pommes qui se rue vers moi en poussant des cris et en bousculant les smokings et les uniformes d'amiraux. Arrivée à ma hauteur, elle m'attrape le bras lestement :

– Monsieur Charrier ! Monsieur Charrier ! Cher ami ! Vous êtes venu ! Quel bonheur ! Quel plaisir ! Venez me voir ! Venez me voir, faites-moi rire !

Je reste interloqué. Qui est donc cette drôle de créature ? Discrètement, je pose la question aux personnes qui m'accompagnent : c'est la princesse Achraf en personne qui vient de m'accueillir avec cet enthousiasme. Elle m'agrippe par la main, me traîne à travers la salle de réception, et me balance sur un canapé en rameutant ses invités :

– Venez tous ! Venez tous ! Venez écouter !

Une minute après, deux cents rombières en robe du soir, bijoux et breloques, au bras de généraux, consuls et autres ambassadeurs sortis tout droit d'une opérette d'Offenbach, font le cercle autour de nous. La princesse enchaîne, tandis qu'un interprète compatissant me fournit la version française :

– Mes chers amis, savez-vous qui est ce garçon ? C'est M. Jacques Charrier ! Et savez-vous pourquoi il est là, M. Charrier ? Non, ce n'est pas parce qu'il est le plus grand acteur français ! Non, non, ce n'est pas parce qu'il est le plus beau !

Un ange passe. L'assemblée a les yeux braqués sur moi. J'ai l'impression d'être face à un peloton d'exécution.

– Il est là parce qu'il m'a fait une chose que personne au monde n'a jamais osé me faire !

Je suis intrigué par cette scène surréaliste. Qu'ai-je donc fait, moi, à la sœur du shah d'Iran ?

Elle poursuit :

– Il y a trois mois, j'étais à la terrasse du *Bar des Théâtres* à Paris. Ce monsieur était avec une bande de camarades à une table voisine. Et M. Charrier, qui est très taquin, a voulu faire rire ses amis. Quoi de plus naturel, n'est-ce pas ? Durant tout mon déjeuner, il n'a pas arrêté de mettre de la moutarde dans mon dessert, dans mon café, et de me faire mille tracasseries. Ce qui faisait beaucoup rire tout le monde ! Et moi aussi, ça me faisait rire, figurez-vous ! Il me plaisait, ce petit plaisantin, ses facéties me distrayaient beaucoup ! Je me suis alors renseignée pour savoir qui il était. On m'a dit qu'il s'appelait Jacques Charrier, qu'il était acteur. Et j'ai fait en sorte qu'il vienne chez moi, à Téhéran. Voilà la raison de sa présence parmi nous ce soir !

Les deux cents spectateurs s'esclaffaient comme des bossus. La princesse aussi. Moi de même, mais je riais plutôt jaune.

Soudain, ma bonne hôtesse s'est adressée à sa cour, l'air grave :

– Qu'allons-nous faire de lui ? On le jette en prison ou bien on le garde pour faire la fête avec nous ? Mes amis, je vous propose de voter !

Silence total. Un silence... de mort ! Est-elle sérieuse ou bien est-ce de l'humour local ? Je ne vais quand même pas me retrouver dans les geôles iraniennes !

Pendant quelques secondes, j'imagine le pire. Discrètement, j'ai repéré les portes qui pouvaient me permettre de prendre la fuite en cas de besoin.

Des voix ont fusé dans l'assistance. Je n'y comprenais rien. La princesse s'est tournée vers moi, sourire aux lèvres. Quel était le verdict ? J'étais dans mes petits souliers.

– Ils vous trouvent une tête plutôt sympathique, monsieur Charrier. Alors nous allons vous garder avec nous. Vous êtes mon invité, vous êtes ici chez vous.

Ouf ! Je pouvais m'éponger le front. J'avais échappé au supplice du pal.

Le lendemain, je retrouvai Son Altesse au palais, où elle m'avait à nouveau convié pour un thé.

– Sachez, monsieur Charrier, que l'homme qui vous a fait cet affront hier, le responsable de la télévision, a été puni ! Nous l'avons déporté dans un camp.

Je m'élevai aussitôt contre cette mesure expéditive, trouvant la « punition » singulièrement disproportionnée. Mais la princesse justifia sa condamnation :

– Monsieur Charrier, en Iran, nous ne plaisantons pas avec l'hospitalité. À travers vous, il a offensé la France tout entière !

– Mais, chère princesse, « la France » pardonne de bon cœur à ce malheureux. Faites preuve d'indulgence, je vous en prie.

– Très bien, je le ferai pour vous être agréable.

Elle marqua une pause. Je pensais qu'elle allait donner l'ordre de le libérer sans autre forme de punition. Mais pas du tout !

– Il sera simplement fouetté, dit-elle.

*

* *

Après notre divorce, je restai en bons termes avec Brigitte. Notre civilité était juste celle de deux anciens époux réunis pour donner un peu de joie à leur enfant. Lors de nos rares entrevues, je l'écoutais se plaindre, car là-dessus elle ne changera jamais : cette propension correspond à un besoin viscéral, sans doute indispensable à son équilibre.

J'ai toujours tenu à ce que Nicolas ne conserve pas une image désastreuse de la relation de ses parents. S'il ne pouvait pas profiter de la présence d'un papa et d'une maman unis, au moins n'assisterait-il pas à leurs déchirements, au moins ne verrait-il entre eux aucune animosité. Nicolas commençait à m'interroger sur l'absence de sa mère. Je lui expliquais qu'elle était très occupée par son travail, mais que les retrouvailles étaient pour bientôt. Je n'ai jamais chargé Brigitte, lui trouvant même mille excuses lorsque Nicolas avait quelque chose à lui reprocher. Je lui expliquais qu'étant fragile et influençable, elle ne savait pas toujours faire le bon choix. J'attendais qu'un jour ces deux-là se rencontrent.

En novembre 1964 (Nicolas va avoir cinq ans), Brigitte donne une interview sur Europe 1.

Le journaliste : – Ne penses-tu pas qu'une mère soit, malgré tout, un élément indispensable à l'équilibre d'un enfant ?

Brigitte : – Ne me fais pas dire ce que je n'ai pas dit ! Je vois Nicolas souvent, très souvent même ! Mais je crois que ce qui est indispensable à l'équilibre d'un enfant, c'est que son cadre soit toujours le même, qu'il voie toujours les mêmes visages autour de lui, qu'il dorme dans la même chambre, qu'il aille à l'école au même endroit. Il n'est d'ailleurs pas dit que, lorsqu'il sera plus grand, je ne m'arrangerai pas pour le prendre avec moi. Mais à ce moment-là, il sera assez fort psychiquement pour supporter le changement et, surtout, pour comprendre ce que c'est qu'une séparation entre un père et une mère.

Heureusement que Nicolas n'a pas trop attendu...

Comme le journaliste demande à Brigitte si le père de Nicolas s'occupe bien de son enfant, elle répond :

– Indiscutablement. Jacques est un excellent père. Et il mène une vie beaucoup plus calme que la mienne.

Et dans *France-Soir Magazine*, en décembre 1982, elle justifie son absence auprès de son fils en pleurant sur elle-même :

« Je n'ai pas éduqué Nicolas parce que je n'en étais pas capable. J'avais besoin qu'on s'occupe de moi. J'avais besoin d'une mère plus que d'un enfant. J'avais besoin d'un soutien, d'une racine mais je ne pouvais pas être une racine, puisque j'étais totalement déracinée, déséquilibrée, perdue dans ce monde de folie furieuse... Qu'est-ce que j'aurais montré à cet enfant ? La vie que j'avais ? Une vie de folle, sortant n'importe quand et avec n'importe qui... J'aurais dû le donner à ma mère, mais je trouvais beaucoup mieux, puisque c'était un garçon, que ce soit son père qui l'élève. »

En 1964 déjà, la presse commençait en effet à jaser : Brigitte ne s'occupait pas beaucoup de son fils. Elle devait manquer encore de maturité.

Les choses étaient plus simples : Brigitte voyait peu notre fils, car elle n'en manifestait pas le désir ! En effet, il était bien convenu entre nous que son droit de visite était illimité. Et je n'ai jamais dérogé à cette règle.

En juillet 1984, dans *Paris-Match*, Brigitte tente à nouveau de s'expliquer sur son attitude à l'égard de Nicolas : « Je ne l'ai pas soutenu lorsqu'il était petit, je ne m'en suis pas occupée... Je n'aime pas les petits enfants. J'ai commencé à le trouver merveilleux quand il avait quinze ans. Mais à quinze ans, il n'avait plus besoin de moi... J'ai toujours eu besoin qu'on me soutienne et beaucoup de mal à le soutenir. Je ne voulais pas qu'il connaisse mes dépressions, ma lassitude et ma fragilité... On naît seul, on meurt seul. »

Petit Nicolas, arrange-toi avec ça...

*
* *

Durant de longues années, Brigitte a donc très peu vu son fils. Beaucoup de parents négligents redécouvrent leur progéniture sur le tard, une fois passée la période encombrante de la petite enfance. Brigitte n'a pas échappé à cette règle. Quand Nicolas est devenu un bel adolescent épanoui et autonome, elle a cherché à le voir plus souvent.

Un été, elle invita ainsi son fils, alors âgé de quinze ans, à passer quelques jours de vacances à la Madrague. Redoutant un peu d'y aller seul, Nicolas m'a demandé de l'accompagner. Là-bas, j'ai fait la connaissance du fiancé en titre de Brigitte, un Yougoslave charmant, sculpteur de son état, et un peu flambeur. Nous n'avons pas été longs tous les deux à nous découvrir une passion commune pour le jeu. Nous jouions toute la journée, alternant parties de backgammon et de gin-rummy. Mais au bout du troisième jour, Brigitte a commencé à s'énerver. Elle ne supportait plus de se sentir ainsi délaissée. Vexée, elle a fait disparaître cartes et pions, en nous interdisant de continuer nos « jeux idiots »...

Le soir, à table, elle a annoncé à Nicolas qu'elle avait fait construire une petite maison à côté de la Madrague. Et, ne ménageant pas son effet, « devant témoin » elle lui a promis que cette « Petite Madrague », elle la lui donnerait. Venant de Brigitte, ce soudain accès de générosité avait de quoi me surprendre. Mais après tout, pourquoi pas ? Il n'y a que les imbéciles qui ne changent pas...

Nicolas, lui aussi, était sceptique. Il commençait à connaître les promesses de sa mère par cœur. Sous la table, il me donna un coup de genou complice, puis :

– Maman, si tu me donnes la maison, je peux en faire ce que je veux ?

– Mais bien sûr, mon chéri.

– Alors je peux la vendre ?

Brigitte manqua s'étrangler. Elle était livide. Je lui dis que Nicolas aimait parfois plaisanter.

– Te fais pas de bile, maman. J'ai bien compris : tu veux dire que je peux y venir quand j'en ai envie.

Brigitte retrouvait des couleurs...

Quelque temps plus tard, Nicolas lui a téléphoné pour l'avertir qu'il allait venir passer quelques jours de vacances dans « sa » Petite

Madrague avec un copain. Brigitte s'est alors lancée dans une longue tirade : en ce moment, elle avait des charges très lourdes à la « grande » Madrague, elle était seule, elle devait subvenir à ses besoins, la vie était très dure pour elle. Elle finit par lui avouer qu'elle quittait quelques semaines Saint-Tropez car elle avait loué les Madragues, petite et grande, pour arrondir ses fins de mois...

Brigitte avait beau tenter de regagner la confiance et l'affection de son fils par tous les moyens, son égoïsme finissait toujours par l'emporter. Et Nicolas a rapidement compris à quoi il devait s'en tenir. Il alla passer ses vacances ailleurs.

*
* *

Plus tard, alors que Nicolas était étudiant à la faculté de Dauphine à Paris, il a eu envie d'une voiture. Comme tous les jeunes de son âge, il en toucha un mot à sa mère au cours d'un dîner. Elle s'exclama aussitôt qu'il suffisait de la lui demander. Justement, elle ne savait pas quoi lui offrir pour son prochain Noël.

Arrive donc le fameux Noël. Je suis invité avec Nicolas à déjeuner chez Brigitte, dans sa maison de Bazoche. Une fois terminé le rituel des cadeaux, Brigitte, solennelle, demande à

Nicolas d'ouvrir la fenêtre de la maison qui donnait sur le jardin. Il s'exécute, impatient, car il s'attendait à voir une voiture garée dans l'allée. Mais rien.

« Penche-toi donc un peu plus et regarde le long du mur ! » insiste Brigitte. Et le long du mur, Nicolas découvre... un vélo ! Le carrosse s'était transformé en citrouille. Brigitte prétexta des frais énormes, certaine que son fils comprendrait.

Lorsque nous sommes partis, Nicolas lui a laissé son vélo en souvenir de ce mémorable Noël. Ce n'était pas tant son rêve envolé qui lui faisait du mal, mais le manquement à la parole donnée.

*
* *

Un beau jour, Brigitte décida d'institutionnaliser le dîner hebdomadaire avec son fils. Nicolas y prenait d'ailleurs plaisir, invité dans les meilleurs restaurants de Paris. Le lendemain, il me racontait sa soirée par le menu détail. Un soir, pourtant, il ne put attendre. Dès son retour, il vint me réveiller :

– Papa, tu ne peux pas savoir ce qu'elle m'a fait ! C'est horrible !

Je pensai tout de suite à une banale querelle. Pas du tout. Elle avait simplement voulu essayer un nouveau restaurant, et au moment où le garçon avait apporté l'addition, elle s'était contentée de signer la note, comme elle avait l'habitude de le faire partout ailleurs.

Mais le patron ne l'entendait pas de cette oreille :

– Madame Bardot, je vous ai adorée lorsque j'étais jeune [quelle maladresse !], j'ai vu tous vos films, mais chez nous on ne se nourrit pas d'autographes. Nous avons un commerce à faire tourner, et la règle veut que tous nos clients paient, quelle que soit leur notoriété.

Brigitte était sidérée. Comment, elle, la B.B. nationale, elle qui avait rapporté à l'État « plus que la régie Renault », elle qui incarnait le nom de la France, elle dont le buste trônait dans les mairies de la République, la Française la plus connue dans le monde avant le général de Gaulle, elle qui... elle qui... on osait lui demander de payer ! Quel affront !

Nicolas me raconta qu'elle était entrée dans une rage folle. Brigitte, même lorsqu'il n'y a pas de caméra, aime parler fort, surtout dans les lieux publics...

– Plus jamais je ne remettrai les pieds dans ce boui-boui. J'en ai connu des cons, mais alors là c'est le pompon ! Non seulement la bouffe est immonde, mais en plus on me prend pour une conne !

Nicolas ne savait plus où se mettre. Il a foncé tête basse à la caisse – heureusement je lui avais donné son argent de poche la veille – et a discrètement réglé l'addition. Ce soir-là, il décida de ne plus jamais aller au restaurant avec sa mère...

Tant d'occasions manquées !...

*

* *

Alors qu'il était encore étudiant, Nicolas a voulu réaliser un rêve d'enfance : enregistrer un disque. Je n'y ai mis qu'une condition : qu'il n'abandonne pas sa maîtrise de gestion. Il a suivi mon conseil, mais le disque n'a pas eu le succès que nous attendions. Dieu sait pourtant si sa musique et son interprétation étaient originales.

Après cette expérience malheureuse, Brigitte lui adressa une lettre particulièrement blessante, qui le bouleversa. Comment une mère pouvait-elle traiter avec autant de mépris la déception de son fils ?

*

* *

Quelques années plus tard, alors que Nicolas était marié et père de deux enfants, Brigitte dut partir en voyage. Elle lui proposa de lui prêter sa maison de Bazoche pour quelques vacances. À son retour, un vase avait été cassé, sans doute par l'un des chats qui grouillent dans la maison. Elle s'en est prise vivement à Nicolas, accusant ses enfants d'être responsables de cette tragédie. Malgré les excuses et les explications de son fils, elle l'informa qu'il était désormais hors de question que lui et sa famille reviennent un jour à Bazoche...

*
* *

Lorsqu'on a bâti sa vie sur une montagne d'apparences, il faut soigner son image sans craindre d'utiliser ses proches.

Chaque fois que Nicolas allait rendre visite à sa mère à la Madrague, j'étais certain que la semaine suivante, les magazines spécialisés, comme par hasard, publieraient une photo de Bardot avec son fils. Même si elle ne le rencontrait qu'une demi-heure entre deux trains... Et le commentaire était toujours identique : « Le fils est venu voir sa maman. Ils s'aiment. Elle adore son petit. » Ainsi, tous les deux ou trois ans, Brigitte s'arrangeait pour être photographiée dans les journaux en maman heureuse avec son grand garçon. Le temps d'un déclic. C'est d'ailleurs en utilisant le subterfuge de l'image de la « bonne mère » que j'ai enfin obtenu, un jour, qu'elle achète un appartement à son fils. Après des années sans le moindre geste de sa part, c'était quand même un minimum !

En 1992, à l'occasion d'une escapade amoureuse en Norvège où vivait Nicolas, Brigitte tint à se faire photographier avec lui et ses deux filles – ses petites-filles qu'elle n'avait encore jamais vues. Elle jurait ses grands dieux que c'était pour son plaisir, pour sa collection personnelle.

Quelques semaines plus tard, nous eûmes la déconvenue de découvrir, sur la double page d'un célèbre hebdomadaire, la photo de Brigitte en compagnie de Nicolas et de sa famille. La légende était explicite : « Non seulement Brigitte est une maman épanouie, mais aussi une grand-mère heureuse qui aime jouer avec ses petits-enfants. »

Elle qui les voyait pour la première fois le jour où cette photo a été prise !

Il y a des procédés qui donnent envie de vomir.

Ce fut le seul jour où je décrochai mon téléphone pour l'incendier. Je n'acceptais pas qu'elle utilise son fils pour gérer son image publique de « bonne mère ». Cette exploitation était inacceptable. Elle se confondit en explications vaseuses, me serinant, comme à son habitude, qu'elle était une star et que ce statut avait des contraintes.

– Tu sais bien, Jacques, que je ne maîtrise pas ces choses-là ! Ce n'est tout de même pas ma faute si la presse aime me photographier.

En l'occurrence, « la presse » était l'un de ses proches, présent le jour dit.

Brigitte contrôlait parfaitement la situation. Elle ne faisait jamais rien par hasard, elle ne laissait jamais rien au hasard. Le cliché de Brigitte Bardot, avec son fils et ses petites-filles, devait valoir presque aussi cher que celui de Bri-Bri avec un bébé phoque sur la banquise.

*
* *

Après la publication de ses « mémoires », et de ses engagements douteux, le mythe Bardot se fissure. On commence à enlever son buste des mairies. Il est en effet difficile de voir cette femme – elle n'est pas si âgée qu'elle puisse avoir, comme certaines, l'excuse du gâtisme – acquise aux idées les plus dégradantes continuer à symboliser la France, la femme libérée, voire même la beauté mature.

Si lorsqu'elle avait vingt ans, on pouvait lui trouver toutes sortes d'excuses possibles, liées à ses lèvres pulpeuses et son corps de déesse, aujourd'hui, la soixantaine passée, elle ne peut plus susciter des arguments d'indulgence.

Sa vie intérieure n'a jamais été en phase avec son apparence. Bien sûr, elle était divine lorsqu'elle était jeune. Mais le grand drame de B.B. est qu'elle n'a jamais eu l'âme de sa chute de reins.

*
* *

En 1973, Brigitte Bardot abandonna le cinéma, « ce métier de cons », jugea-t-elle. La carrière cinématographique de B.B. ne résistait pas à l'apparition des premières rides.

À cette époque, Brigitte avançait dans un tunnel. Les producteurs la délaissaient. Et elle ne le supportait pas. Elle a compris très vite que sa passion pour les animaux pouvait servir de créneau pour une seconde carrière. Je ne mets pas en doute son amour immodéré pour le règne animal. Pierre Desproges disait que « Brigitte Bardot est incapable de faire du mal à une mouche : elle ne sait pas reconnaître une bombe insecticide d'un vibromasseur ». En revanche, pas folle la guêpe, elle s'était aperçue que chacune de ses opérations pour nos amies les bêtes ameutait une horde de photographes et de journalistes. Elle qui autrefois se plaignait d'être épiée, harcelée par les paparazzi, la voilà qui pouvait se pavaner en défendant une noble cause.

C'est ainsi qu'arrivée à l'âge de quarante ans, elle a définitivement tourné la page du cinéma pour consacrer l'essentiel de sa vie à s'occuper des animaux.

On sait que d'autres préfèrent militer à Amnesty International pour défendre les personnes injustement emprisonnées et torturées. Il paraît que les deux combats ne sont pas incompatibles. On parle même d'« humanitaire » animal.

Malheureusement pour Brigitte, il se trouvait toujours un journaliste mal intentionné (les gens sont méchants !) pour lui lancer la question fatidique :

– Ce que vous faites pour les animaux est très bien et personne ne le conteste. Mais pourquoi ne vous occupez-vous pas de votre enfant ? Ou des petits orphelins ?

– Chacun son combat... Ceux qui me reprochent ça ne font rien, eux. Je me tape de leur opinion. L'opinion publique, je m'assois dessus.

Une pirouette, une formule choc et le tour était joué. Mais au fond, cette controverse la préoccupait. Jusqu'à devenir obsessionnelle. Et lorsqu'il s'est agi d'écrire ses Mémoires, elle ne pouvait pas l'occulter. Star jusqu'au bout des ongles, elle ne pouvait supporter ce clou planté dans la semelle de ses ballerines. Comment maquiller ce point noir visible comme le nez au milieu de la figure ?

Rattrapée par son passé, Brigitte ne s'est pas embarrassée de scrupules. Elle a fait au plus simple : elle a raconté une version totalement imaginaire de notre histoire. Pourquoi se serait-elle gênée ? Elle se croyait à l'abri de toute poursuite. Depuis trente-sept années Nicolas et moi avions laissé dire à notre sujet tout et n'importe quoi sans jamais saisir la justice, ni publier de quelconques démentis. Brigitte pouvait donc librement déguiser la réalité en sa faveur, quitte à salir son fils et son ex-mari. « Jacques est un type si gentil (ou un faible), il ne bougera pas », affirmait-elle sans doute à son entourage.

L'explication semblait plausible : elle ne s'était pas occupée de ce fils parce qu'elle n'en avait jamais voulu. Cet enfant était né parce que son tyran de père l'avait exigé. Et elle, Brigitte, apparaissait comme la pauvre petite fille fragile victime d'un horrible macho. Personne ne l'aimait. Enfin, si. Heureusement, elle avait encore ses chiens et ses convictions politiques.

Les penchants idéologiques de Brigitte ne sont pas le fruit d'un hasard ou d'un concours de circonstances. Ils viennent de plus loin. Brigitte est une maniaque de la pureté. Une star pure. Une conscience pure. Une race pure. Plus le temps la corrompt, plus elle est obsédée par son idéal de pureté.

Cette idée fixe tient de famille.

Sa mère, peu avant son décès, projetait d'offrir sa maison de Louveciennes à Mijanou (la sœur de Brigitte) et sa maison de Saint-Tropez à Nicolas. Elle l'avait répété à plusieurs membres de la famille comme à moi-même. Elle tenait à ce que cette dernière volonté soit respectée. Une femme de cœur...

À sa mort, quand il s'est agi de répartir l'héritage, Brigitte, le portefeuille à droite, a tout bonnement vendu la maison de Saint-Tropez en faisant comprendre à Nicolas qu'elle avait besoin d'argent pour les caisses de sa fondation. Mais, en lot de consolation, elle lui a légué la bibliothèque de son père... Pensez, des livres, elle n'en avait que faire.

Piqués par la curiosité, nous avons exhumé des cartons les goûts littéraires du grand-père. Jauni par le temps mais bien présent, le legs de M. Bardot se résumait à quelques brûlots d'extrême droite. Des auteurs aux noms évocateurs : Raymond Abellio, Maurice Bardèche, Arthur de Gobineau, Jacques Doriot, Drieu La Rochelle et Rebatet. Et des écrits sur Goebbels, Goering, Giovanni Gentile, Pierre Laval et Pétain. J'en passe et des bien pires. Ah si, un dernier quand même : un exemplaire dédicacé de *Mein Kampf*... d'Adolf Hitler... Une bibliothèque édifiante !

On aura compris que le grand-père n'était pas vraiment de gauche. Forte de cet héritage, Brigitte a fait prospérer une misanthropie maladive. Pour elle, l'être humain est méchant, cupide, sans possibilité de rédemption. Car il sombre dans une décadence sans fond. « Ah, humanité, tu te laisses aller, tu te laisses aller, se lamente-t-elle dans son livre. D'où les mines verdasses, les yeux creux, les teints cireux, les allures malsaines et scrofuleuses de toutes ces victimes d'une société qui promet leur sécurité et obtient leur dégénérescence. »

Brigitte ne croit pas en l'Homme et encore moins à ses droits. En outre, les « autres » sont responsables de tous ses malheurs. Les « autres », c'est le monde entier. Aussi bien ceux qui la photographient lorsqu'elle n'en a pas envie, ses ex-fiancés, son entourage professionnel, que les égorgeurs de mouton. D'où sa paranoïa imbécile sur « l'envahissement de la France par une population étrangère, notamment musulmane à laquelle nous faisons allégeance ».

Même ses chers animaux doivent en frémir...

9

Un nouvel envol

Voulez-vous connaître le drame de ma vie ?
C'est que j'ai mis le talent dans mon œuvre
et le génie dans ma vie.
Oscar WILDE.

Je devais me rendre à Cinecittà, la Mecque du cinéma européen, pour tourner *Tir au pigeon*, un film de Giuliano Montaldo. Mon ami François de Gasot m'offrit de m'y conduire dans son avion personnel. François était un original qui avait réussi une belle carrière dans l'immobilier et qui consacrait sa vie à ses deux passions : le violon et les avions. J'ai accepté son invitation et nous nous sommes donné rendez-vous à l'aérodrome de Toussus-le-Noble, près de Paris.

Arrivé sur la piste, j'aperçois un bimoteur assez gros. Comme je me dirige vers l'appareil, François me rattrape par le bras et m'indique que son avion est posé un peu plus loin derrière. Je fais demi-tour et je découvre, sidéré, un petit zinc en toile qui semble rescapé de la guerre de 14-18 ! Cette relique pouvait-elle vraiment voler ?

Mon enthousiasme me tomba dans les talons. Mais il était trop tard pour faire marche arrière. Nous avons grimpé dans le monomoteur Jodel qui démarra au quart de tour. Avant de décoller, François m'expliqua sommairement les principes de base de son fonctionnement, et en particulier le maniement du manche à balai. L'avion prit son envol.

Passé les premières minutes d'appréhension, j'étais tout au bonheur de m'abandonner dans les airs, même si notre coucou se révélait aussi bruyant qu'inconfortable. Mais il faisait un temps magnifique, et le vol se déroulait à merveille.

François posa l'oiseau à Genève pour les vérifications d'usage et le plein d'essence. Puis nous avons redécollé en direction de Rome. Planant dans un ciel sans nuage, nous avions une vue féerique sur les Alpes. Nous avons survolé le mont Blanc couvert de glaces sous un soleil enchanteur. J'avais l'impression d'être sur une autre planète. François était en grande forme, enivré par cette équipée onirique. Porté par tant de félicité, il me proposa même de prendre les commandes – je n'avais jamais piloté auparavant. Téméraire, je m'exécutai aussitôt, trop heureux de m'initier aux joies du pilotage. Puis François sortit son violon de l'étui qu'il avait emporté.

Et le voilà qui essaie, avec son archet qui s'en allait vibrer contre la carlingue, de couvrir le bruit ininterrompu du moteur et du vent ! Il me demande alors d'ouvrir un panier qui se trouve à mes pieds. Il a préparé des blinis au caviar beluga et une bouteille de vodka !

Dans un zinc pétaradant, je joue les épicuriens du ciel, pendant que François se lance dans l'opus 12 en mi bémol majeur de Mendelssohn. Nous chantons à tue-tête au-dessus des glaciers des Alpes.

– Jacques ! me crie-t-il dans les oreilles. Tu vois, c'est ça la vie !

Nous communions dans une douce euphorie où se mêlent des sentiments de plénitude et d'absolu. L'instant est magique.

Mais soudain, alors que je me tourne vers François pour trinquer encore une fois, je le vois affalé, son violon de travers sur les genoux, la tête renversée contre la paroi du cockpit, inerte. D'un geste brusque, je tente de le ranimer. Mais il reste sans réaction, pâle comme un linge. « Mon Dieu, il est mort ! » me dis-je aussitôt. Comment me tirer de là, sans parachute, alors qu'il y a à peine une heure, je n'avais jamais piloté ce genre d'engin ? « Surtout, ne cède pas à la panique, Jacques, essayai-je de me rassurer. Sinon, tu es foutu. »

Première chose à faire : perdre de l'altitude. Je pousse à fond le manche à balai en avant, comme François me l'a montré, et l'avion se met à piquer du nez. Le moteur s'emballe, prêt à exploser, et la chute s'accélère.

Le trou noir, une dernière prière et, tout à coup, François se réveille :

– Hein ? Quoi ? Où est-ce qu'on est ?

C'est la première et la dernière fois de mon existence que j'assiste à une résurrection. Je tombe des nues. En un clin d'œil, François s'empare du manche d'une main experte, et, de l'autre, réduit les gaz. L'avion se redresse rapidement, puis nous reprenons nos esprits, et le bon cap vers l'Italie.

J'interrogeai François. Mais que s'était-il donc passé ? Grisés par l'ivresse des airs, nous avions pris trop d'altitude. Privé d'oxygène, mon « instructeur » avait perdu connaissance. Et, ma descente amorcée, il était peu à peu revenu à lui. Quant à moi, protégé par les dieux, j'avais résisté.

De deux choses l'une : soit je ne remettais plus jamais les pieds dans un avion, soit cette expérience – aussi périlleuse fût-elle – devait très vite faire de moi un fou d'aviation. Aussitôt débarqué à Rome, sur les conseils de François, je commande par téléphone mon premier aéroplane.

Dès mon retour à Paris deux mois plus tard, un Morane Super Rally de 145 chevaux m'attend dans un hangar de Villacoublay, juste en face de la base militaire. Je prends immédiatement une dizaine de cours accélérés. Décollages et atterrissages, décollages et atterrissages... Au bout de quelques jours, mon instructeur prétexte un coup de fil important à donner. Édouard Léger me tape sur l'épaule : « Allez-y, faites un tour sans moi. » Je ne me le fais pas dire deux fois. Je décolle, le cœur battant. Pour la première fois, je suis seul maître à bord. Je vis l'une des plus grandes joies de ma vie. Je réalise le rêve d'Icare ! Presque aussi sublime que la première femme... Un sentiment d'absolue liberté. Je fais un tour autour de la piste et je me pose, avec un arrondi parfait. L'instructeur m'avoue alors que le coup du téléphone est couramment utilisé pour lâcher un nouveau pilote... Mais il s'empresse de me prévenir : « Attention, Jacques, souvenez-vous toujours qu'il est plus difficile de faire un vieux pilote qu'un bon pilote. » Je n'ai pas oublié son conseil puisque je suis là pour vous en parler.

L'aviation est devenue une drogue. Dès que mes occupations me le permettaient, je pilotais deux à trois heures par jour. Et en 1964, j'obtins mes deux licences. Je pouvais aller là où je voulais, quand je le voulais.

Pendant les années qui suivirent, je ne m'en suis pas privé. L'avion m'offrait la possibilité immédiate de satisfaire mes désirs. En fin d'après-midi, je pouvais décider avec des amis d'aller dîner à Londres ou à Bordeaux. Après nos agapes, nous rentrions à Paris.

Grâce à l'avion, j'ai pu découvrir une grande partie du monde, ses paysages mais aussi ses peuples et ses manières de vivre si diverses. Lors de séjours en Afrique ou en Amérique du Sud, je louais un avion et je me régalais à survoler ces contrées. Les côtes du Maroc, l'Atlas, le Sénégal, le Kenya prennent une autre dimension vus d'en haut.

L'aviation était mon luxe. Je n'avais pas de robinets en or dans ma salle de bains, pas de Rolls Royce dans mon garage, mais dès que l'envie m'en prenait je pouvais monter dans mon avion, naviguer, une carte au 1/500 000e sur les genoux, et me poser ici ou ailleurs.

Plus tard, aux commandes d'un Beach Bonanza, j'ai survolé la presqu'île du Yucatan au Mexique et le Grand Canyon du Colorado.

Quelle revanche sur le passé ! Après avoir affronté des situations difficiles que je ne maîtrisais pas, je prenais de l'altitude face à la vie. Après les turpitudes et les humiliations, je retrouvais la poésie à l'état pur. Car lorsqu'on vole, le tumulte des hommes ne vous atteint pas. Piloter, c'est pour moi la dernière grande aventure, l'unique moment où l'on tient seul en main sa destinée.

*
* *

En 1964, j'ai rencontré France, qui allait devenir ma deuxième femme. Elle avait toute la fraîcheur de ses dix-huit ans. De notre union sont nées deux filles merveilleuses, Marie et Sophic, que j'aime tendrement et qui me le rendent bien. France et moi n'avons vécu que six années ensemble mais, comme le dit la chanson, « la vie sépare ceux qui s'aiment, tout doucement sans faire de bruit ». Et la vie a voulu que nos chemins divergent...

À cette époque, et jusqu'à 1967, je tournais régulièrement un film par an. *Les Sept Péchés capitaux* et *l'Œil du Malin* de Claude Chabrol, *Le Plus Vieux Métier du monde* de Jean-Luc Godard et *Les Soleils de l'île de Pâques* de Pierre Kast. Mes partenaires féminines s'appelaient Stéphane Audran, Anna Karina, et Alexandra Stewart.

*
* *

La production de films m'attirait depuis longtemps. Et pas forcément pour monter *Les Trois Mousquetaires* ou *La Dame aux camélias*, n'en déplaise à Darryl Zanuck ! J'avais même sur la question un principe opposé au sien, et très arrêté : donner leur chance à des films réputés difficiles.

En 1967, j'ai donc créé la société des films Marquise. Ma première production fut *Une saison à Hollywood*, un reportage de cinquante-cinq minutes sur Catherine Deneuve, réalisé pour la télévision par Jean Baronnet. Catherine partait tourner à Hollywood et Jean avait eu l'idée de la suivre avec sa caméra. Ce type de produit qu'on appelle aujourd'hui un « making off » n'était pas courant à l'époque.

Après avoir visionné en projection privée *Les sans espoir*, le fabuleux film du cinéaste hongrois Miklos Jancso, j'ai décidé sur-le-champ de partir le rencontrer chez lui, à Budapest. Les artistes des pays de l'Est étaient alors très contrôlés par l'État. Cette censure les obligeait à plus d'ingéniosité dans la créativité. J'ai immédiatement fraternisé avec Jancso, et nous avons décidé de monter un film ensemble en coproduction avec le gouvernement hongrois. C'était la première fois qu'un producteur français travaillait avec la Hongrie. *Sirocco d'hiver*, avec Marina Vlady, fut le fruit d'une réelle réciprocité technique et artistique. Le film a été sélectionné au Festival de Venise en 1968, puis primé au Festival de New York et distribué dans le circuit universitaire américain.

La France, qui cherchait précisément à encourager les rapprochements avec les pays de l'Est, fut apparemment reconnaissante de mon initiative. André Malraux me récompensa en m'élevant au rang de chevalier des Arts et des Lettres. Drôle de retournement...

*

* *

À la fin des années soixante, je me suis lié d'amitié avec Michel Simon, sans conteste le personnage le plus haut en couleur que j'aie jamais connu. Michel faisait peur à beaucoup de monde, sans doute à cause de sa forte personnalité et de son légendaire mauvais caractère. Il était en fait anticonformiste. Mais il ne manquait pas de goût et d'initiative, puisqu'il avait fondé avec quelques amis la Confrérie des Chevaliers du Taste-Fesse, dans laquelle il s'empressa de me faire introniser...

Car Michel Simon était avant tout un bon vivant. Entendez un pornophile effréné. Lors d'un voyage à Utrecht pour une « Semaine du cinéma français », il ne pensait qu'à s'esquiver pour courir les maisons closes... jusqu'à Amsterdam. Et il connaissait toutes les bonnes adresses pour avoir fréquenté ces lieux depuis de nombreuses années. Je ne l'accompagnai pas, n'ayant jamais eu d'attrait particulier pour les amours tarifées. Franc-maçon, Boudu aimait répéter à qui voulait l'entendre qu'il n'y avait rien de plus important que la tolérance... surtout dans les maisons du même nom.

À une journaliste qui lui demandait quelle était sa distraction préférée lorsqu'il ne tournait pas ou ne jouait pas au théâtre, il répondit sans hésiter :

– La débauche.

Un jour, alors que nous déambulions dans les rues de Paris, il a aperçu la tête d'un homme politique sur une affiche collée à un mur. Il s'est arrêté pour la regarder, puis s'est tourné vers moi et, de sa voix rocailleuse :

– Qu'est-ce qui est le plus obscène, Jacques ? Une belle paire de fesses ou la gueule d'un escroc qui cherche à se faire élire ?

Et il enchaîna sur une théorie qui lui était chère, lui, l'athée convaincu :

– Si Dieu existe, on le trouvera entre les cuisses des femmes. Voilà pourquoi nous passons notre vie à le chercher ! Une chatte de rousse, un sexe de négresse, mauve et noir comme un iris, sont pour moi les seuls indices qui pourraient me faire penser, dans de grands moments d'extase, que Dieu puisse jamais exister.

Voilà les élans mystiques de Michel Simon !

Nous dînions souvent dans un restaurant du boulevard Bonne-Nouvelle qu'il appelait sa « cantine ». Je lui rendais aussi parfois visite dans sa maison de Noisy-le-Grand, nichée au milieu d'un parc. Construite par Gambetta, elle avait appartenu autrefois à Alphonse Allais. Au premier étage, Michel Simon y avait rassemblé sa collection d'objets érotiques. L'entrée de la pièce était gardée par la statue d'un samouraï nu, grandeur nature, le sexe en érection. Sur les étagères, des éditions originales de livres rares : Sade, Masoch, Pierre Louÿs, Apollinaire, Georges Bataille, *Le Petit Chaperon Rouge* illustré, version coquine, les eaux-fortes illustrant *Le Jardin des supplices* d'Octave Mirbeau... On pouvait voir aussi des rangées de phallus en ébène, en pierre, en métal, en bois, en verre, en ivoire ; et des mannequins, des bronzes, des dessins cochons ; et des textes aux signatures prestigieuses, de Toulouse-Lautrec à Salvador Dali en passant par La Fontaine, Jean Genet ou Aragon. Il collectionnait aussi des photographies de sa femme Karen (après sa mort, on en dénombra plus de vingt mille), la plupart prises par lui-même. On trouvait encore des automates vigoureux, des lampes, plumiers, pipes, bols, abat-jour, boîtes à musique, horloges, vaisselle, poudriers, représentant tous des scènes érotiques. Michel appelait cette vaste collection son « hymne à la beauté ».

Il s'était également constitué au fil des années une cinémathèque du même style et Henri Langlois, le fondateur de la Cinémathèque française, lui avait même confié la garde de nombreux films « réservés à un public averti ». Simon organisait dans sa maison de Noisy-le-Grand des projections privées qui se terminaient souvent de la manière la plus joyeuse qu'on puisse imaginer. On sait, car ils en ont témoigné, que Tristan Bernard et Georges Courteline, entre autres, ont assisté à ces projections.

Après *Le Vieil Homme et l'enfant*, Michel Simon connut de graves problèmes avec le fisc qui saisissait systématiquement tous ses revenus. Il menaçait même de vendre ses meubles et sa maison. Nous fûmes quelques-uns à prendre en charge les dettes de Michel. Julien Clerc, qui jouait alors *Hair* au théâtre de la Porte Saint-Martin, lui remit la recette d'un soir, Joséphine Baker lui adressa cent mille francs de l'époque et Guy Bedos intervint auprès de l'administration. La maison de Noisy fut – provisoirement – sauvée.

Nous allions parfois ensemble à des générales de pièces de théâtre ou à des spectacles. Michel Simon, qui était invité, achetait quand même son billet.

– J'achète ma place pour pouvoir siffler si ça ne me plaît pas. Tandis que si je suis invité, je ne peux pas siffler.

Sa bonne humeur et son esprit paillard me réjouissaient. Il avait toujours mille anecdotes à raconter. Par exemple celle-ci, qui remonte à l'époque où il jouait une pièce dans un théâtre dont le directeur était une femme connue dont je tairai le nom. Un soir, avant les trois coups, alors que le régisseur l'appelait pour entrer sur scène, il a refusé net et demandé à voir la directrice. On fit donc prévenir la dame qui ne broncha pas, sans doute habituée aux extravagances de Michel Simon. Mais ce jour-là, il fit un caprice tout à fait singulier :

– Faites prévenir madame la directrice que si elle ne vient pas me tailler une p... dans les minutes qui suivent, je ne joue pas et je rentre chez moi !

Branle-bas de combat ! Tout le personnel s'était agglutiné devant la loge de Michel pour tenter de le raisonner, et le convaincre d'entrer sur scène. Surtout que le public commençait à manifester son impatience et demandait à être remboursé.

Au moment où le théâtre frisait l'émeute, la directrice, dont vous ne saurez toujours pas le nom, s'est frayé un passage dans la loge de Michel Simon, en lançant aux personnes présentes :

– Il y a des moments dans la vie où il faut savoir se dévouer pour le théâtre !

Quelques minutes plus tard, Michel Simon a annoncé que la représentation pouvait commencer...

*
* *

Un été, Nicolas et moi passions quelques jours à la Madrague avec sa mère. Un matin, nous avons vu débarquer dans la maison un charter de touristes en bermudas, maillots de corps et appareils photo en bandoulière ! J'ai cru qu'ils allaient se faire écharper par les bergers allemands...

Mais non ! La visite était organisée par un « tour operator » avec l'accord de Brigitte. Nos pèlerins eurent donc droit au tour du propriétaire, à la photo-souvenir et même à un repas frugal dressé sur des tréteaux de bois. Et devinez qui servait la salade niçoise et les cornets de glace ? Brigitte en personne, en paréo et fleurs à l'oreille.

À la fin du banquet, elle a même repassé le plat. Mais cette fois, c'était pour la quête. Chaque convive devait y aller de sa poche :

– Allons, soyez généreux, c'est pour les animaux !

Et quand elle a eu fini son tour de table, elle a tapé dans ses mains.

– Maintenant, tout le monde dehors ! La visite est terminée !

Obéissants, les pèlerins ont grimpé dans l'autocar, heureux d'avoir déjeuné avec la star. Laquelle a retourné triomphalement sa coupe pleine de billets et de monnaie sonnante et trébuchante.

– Allez, Jacques, Nicolas, ne restez pas plantés là les bras ballants : venez m'aider à compter !

Comme disait l'autre dans des circonstances comparables : « Il y a des moments où il faut savoir se dévouer pour la bonne cause ! »

*
* *

Parmi les films que j'ai produits, *What a Flash* occupe une place spéciale : celle du plus fou.

Le sujet du film était le suivant : nous sommes en l'an 2088, dans une société idéale où tous les problèmes sociaux et économiques sont résolus. Seuls des artistes et des intellectuels troublent l'harmonie générale. Le pouvoir en place décide alors d'organiser un immense colloque dans le cosmos : invités à une promenade en fusée sur Vénus, les moutons noirs ne pourront revenir sur terre que s'ils donnent la preuve de leur talent.

Pour le tournage, nous avons bloqué près de cent cinquante personnes sur un plateau de cinéma du studio d'Épinay pendant trois jours et trois nuits. Les acteurs du film étaient d'authentiques « créateurs », écrivains, peintres, danseurs, musiciens venus des quatre coins d'Europe. Ils avaient l'interdiction formelle de sortir :

– Soyez créatifs, exprimez-vous, improvisez, on enregistre, leur conseillait le metteur en scène J.-M. Barjol, le bien nommé.

Et tandis que les créateurs s'ingéniaient à « créer », les caméras tournaient en permanence. Très vite, la situation a dégénéré. Nous étions en plein délire post-soixante-huitard. Le plateau s'est transformé en une foire infernale, une sorte d'orgie généralisée. Avec, au bout, quelque cent quatre-vingt mille mètres de pellicule à développer...

Le film fut projeté au studio de la Harpe, une salle confidentielle du Quartier latin. Le happening continuait : pendant les projections, J.-M. Barjol, qui ne ratait pas une séance, allait consciencieusement casser la figure au projectionniste parce qu'il ne montait pas le son assez fort.

Nous pensions avoir réalisé un film expérimental, sur la base d'une science-fiction politique. Nous n'imaginions pas que vingt-cinq ans plus tard, *What a Flash* serait présenté à l'université comme un document sociologique sur les années soixante-dix...

Après ce « bide noir » comme on dit dans la profession, je cherchai des sujets moins cosmologiques. Justement, Jean-Claude Brialy, mon vieux copain, me confia le scénario d'un long métrage qu'il avait en projet. *Églantine* était vraiment aux antipodes des films que j'avais produits jusqu'alors. Il racontait la chronique d'une famille bien française de la fin du XIXe siècle. Cousins, cousines, neveux, nièces, petits-enfants se retrouvaient pour les vacances d'été dans un joli château appartenant à la grand-mère, jouée par l'exquise Valentine Tessier, et portaient de jolis habits fabriqués par un costumier italien, Piero Tozzi. Valentine Tessier était entourée d'une solide distribution : Odile Versois, Jacques François, Claude Dauphin, et des enfants d'une spontanéité rare que Jean-Claude sut diriger avec justesse. La musique était signée Jean-Jacques Debout. La grande Barbara nous avait fait l'amitié d'écrire la chanson du film. *Églantine* remporta un très beau succès commercial et d'estime.

J'ai ensuite enchaîné deux autres longs métrages réalisés par Jean-Claude Brialy : *L'Oiseau rare*, un film à sketches avec Micheline Presle, Jacqueline Maillan, Jean-Claude lui-même, Anny Duperey et de nombreux artistes. Puis *Les Volets clos*, l'histoire d'une maison close remplie d'adorables donneuses de patachons et dont Marie Bell était la tenancière. Ces femmes vivaient heureuses et sans histoire, jusqu'à ce qu'un matelot débarque et sème la discorde. J'ai choisi Nicoletta pour interpréter la chanson : *Fermons la fenêtre et laissons les volets clos, à quoi bon se lever...* composée par Paul Misraki.

Ces films connurent eux aussi un très beau succès. Je n'allais pas m'arrêter en si bon chemin.

*
* *

Dans la foulée d'*Églantine*, je reçois un coup de téléphone dans mon bureau :

– Allô, Jacques, c'est Bri-bri ! Dis-donc, je te félicite pour ton film. C'est drôlement intéressant ce que tu fais...

Brigitte traversait alors une période plutôt creuse : le cinéma commençait à l'oublier et elle ne s'était pas encore vouée corps et âme à la religion animale.

– J'aimerais bien qu'on se voie pour que tu me parles un peu de ton métier. Je voudrais savoir comment on fait de la production...

– Oui, eh bien, déjeunons quand tu veux.

Rendez-vous est pris.

J'invite Jean-Claude Brialy à se joindre à nous. Son humour égaiera notre déjeuner.

Le jour dit, Brigitte est un peu surprise de me voir accompagné, mais elle ne laisse paraître aucune déconvenue. Elle est pomponnée, charmante.

Bientôt, elle me bombarde de questions sur la production. Elle veut connaître les rouages du métier, le financement de départ pour créer sa société... Elle voudrait se lancer, elle a des droits à gérer, notamment sur certains de ses films. Mais il lui manque la personne de confiance qui...

– J'en ai marre de me faire avoir. Mais toi, Jacques, maintenant que tu es au fait de tout ça, tu ne pourrais pas...

Évidemment, je la vois venir avec ses gros sabots. D'autant que Jean-Claude à côté me lance un clin d'œil complice, au cas où je n'aurais pas vu la perche qu'elle me tendait.

J'entretiens des rapports urbains avec Brigitte, mais il n'est pas question d'entrer en affaires avec elle. Je sais trop bien qu'elle traite les gens qui travaillent pour elle comme des chiens – pardon, comme des humains. Connaissant mon « animal », je m'arrange donc pour la dissuader en douceur : dans le sens du poil...

*
* *

Jean Chérasse, un cinéaste, historien de formation, réussit à me convaincre de produire un film sur l'affaire Dreyfus. Il avait retrouvé à Londres les actualités reconstituées que Georges Méliès, dreyfusard de cœur et de raison, avait réalisées en 1899. Témoin du procès en révision du capitaine Dreyfus à Rennes, Méliès dessinait des croquis sur le vif puis, de retour à Paris, il tournait dans un petit studio les scènes auxquelles il avait assisté, avec sa femme et ses amis pour acteurs. Ce témoignage fut diffusé, entre autres salles, au cinéma Le Ranelagh, où il provoqua des batailles rangées entre partisans et adversaires de Dreyfus. Au cours de l'une de ces bagarres, la police débarqua et confisqua les bobines : c'est la première censure cinématographique connue de l'histoire.

J'ai acheté les droits à Mme Méliès, la petite-fille du grand illusionniste. Le projet m'intéressait d'autant plus qu'il conjuguait deux histoires contemporaines, le scandale de la raison d'État, et la naissance du cinéma. La première projection cinématographique privée avait eu lieu en effet le 21 février 1895, le jour même où Dreyfus embarquait pour l'île du Diable...

Notre *Affaire Dreyfus* a été réalisée à partir des quinze films laissés par Méliès. Jean Chérasse avait mené un travail formidable de journaliste d'investigation. En fait, il s'agissait d'une thèse historique filmée, et ce concept était tout à fait novateur. Nous avions recueilli les témoignages d'un panel de personnalités qui représentaient, chacune à sa façon, un symbole face à l'histoire : Edgar Faure, Alain Krivine, Henri Guillemin, François Brigneau, Michel Debré ou encore François Mitterrand. Contrairement à la thèse officielle qui faisait état d'une « regrettable erreur judiciaire », Chérasse montrait et démontrait que l'entreprise de dénigrement de Dreyfus avait été montée de toutes pièces. Il s'agissait bien du sabotage d'une communauté entière à travers un homme, officier supérieur de l'état-major, devenu bouc émissaire. Dreyfus était en fait la victime d'un complot antisémite.

Je rédigeai un texte où j'expliquais mes motivations de producteur. Je voulais un cinéma français capable de traiter des sujets « brûlants », de sortir de l'ornière du conformisme et de la routine, au risque de déterrer des vieilles mines rouillées. Le film m'apparaissait comme un « miroir » propre à susciter un examen de conscience collectif : « En effet, écrivais-je à l'époque, comment pourrait-on, après avoir pris connaissance du dossier Dreyfus, ne pas s'interroger sur la condition des droits de l'homme et du citoyen, sur les rapports entre la majorité et la minorité au sein d'une démocratie, sur le recours à la raison d'État, sur les motivations du racisme et de l'antisémitisme, et aussi sur la manière dont on "fait" l'opinion publique, y compris cette falsification permanente de la vérité dans les manuels scolaires qui sont censés nous apprendre l'histoire ? »

C'est dire si le projet était ambitieux... Finalement, le film est sorti simultanément à la télévision et au cinéma dans le circuit de distribution Lincoln-Gourewitch. Il a été vendu et vu dans une trentaine de pays, suscitant partout de nombreux débats.

*
* *

Début des années soixante-dix, avec une poignée de producteurs indépendants, je fondai l'AFPF, l'Association française des Producteurs de films. Parallèlement, j'occupais les fonctions de trésorier d'Uni-France Films, une organisation professionnelle chargée de la diffusion du cinéma français à travers le monde.

La mission de ces deux organismes était de favoriser les relations entre la France et l'étranger. Je voyageais donc beaucoup, ramenant dans mes bagages des projets de coproductions franco-étrangères intéressant l'industrie cinématographique française.

Paris, dans ces années-là, était la capitale au monde où l'on pouvait voir le plus de films étrangers. C'était le temps béni où les salles de cinéma du Quartier latin n'étaient pas encore tombées dans les grands circuits de distribution. Le public français était avide de découvrir des œuvres venues d'ailleurs, d'une facture originale.

L'AFPF a ainsi contribué au rayonnement des cinémas tchèque, roumain, hongrois, polonais, indien, japonais et nuovo brésilien en France. J'aimais ce travail avec passion. La motivation de ces producteurs était d'aider à la reconnaissance du talent de metteurs en scène et d'artistes jusqu'alors méconnus.

⋆
⋆ ⋆

Lors d'un voyage en Hollande, une grande jeune fille saine m'aborda au cours d'un dîner. Elle rêvait des sunlights. Elle dégageait une telle présence sensuelle que je lui proposai sur-le-champ de venir à Paris. Je lui promis d'organiser quelques rencontres avec des réalisateurs.

À ma grande surprise, quelques semaines plus tard, la belle est venue sonner à ma porte.

Je lui offris l'hospitalité de bon cœur. Conformément à ma promesse, je l'ai recommandée à quelques producteurs et metteurs en scène, et en particulier à l'un de mes amis, Just Jaeckin. Justement, il était à la recherche de l'héroïne de son prochain film. Le casting terminé, ma jeune Hollandaise est repartie vers ses chers moulins à vent. Pendant un an, je n'ai plus entendu parler d'elle, ni du film en question.

Et puis un jour, arrêté à un feu rouge avenue des Champs-Élysées, je lorgne sur une affiche érotique de cinéma. Il me semblait reconnaître, lascive dans un grand fauteuil de rotin, la voluptueuse... Et c'était bien elle, Sylvia Kristel, devenue la star du film *Emmanuelle*... qui devait connaître un succès mondial !

*

* *

Au cours d'un voyage au Chili en 1971 avec Pierre Kast, j'ai eu l'occasion de rencontrer Salvador Allende, alors président de la République. Dans son palais de la Moneda à Santiago, il nous exposa avec ferveur les ambitions qu'il nourrissait pour son pays : organiser une plus juste répartition des richesses en s'appuyant sur les classes populaires pour les faire participer activement au développement économique et civique. Il nous fit part aussi de ses craintes, car il savait que les États-Unis feraient tout pour combattre ses idées progressistes.

Mais il gardait confiance, car le peuple soutenait son combat.

L'homme m'a immédiatement séduit. Politique intelligent et généreux, il aimait également le bon vin et les jolies femmes. Deux raisons qui ne pouvaient me le rendre antipathique...

Trois mois après le coup d'État qui lui a coûté la vie, je suis contacté par un cinéaste que j'ai rencontré au cours de mon séjour au Chili. Je l'invite à passer me voir à ma société de production. Il débarque avec un scénario sous le bras qu'il dépose sur mon bureau en me lançant :

– Voilà la réponse d'un cinéaste latino-américain au coup d'État de Pinochet ! Tu as aimé le Chili ! Tu as connu Allende ! Lis !

Helvio Soto avait été le directeur-metteur en scène du Théâtre de l'Université de Santiago du Chili et journaliste à la télévision, avant d'être nommé directeur des programmes en 1970. Il était l'auteur de plusieurs films, dont le fameux *Voto + Fusil*, qui avait fait fureur sur tous les campus universitaires. Helvio Soto avait été un ami très proche de Salvador Allende durant vingt ans, et il connaissait parfaitement l'histoire de son pays.

Je fus bouleversé par la lecture du scénario. Sur un coup de cœur, j'ai décidé de produire le film. Ainsi est né en 1975 *Il pleut sur Santiago*, écrit et réalisé par Helvio Soto, sur des dialogues de Georges Conchon. La musique était signée Astor Piazzola, le rénovateur du tango argentin. La distribution était éblouissante : Bibi Anderson, Nicole Calfan, André Dussolier, Bernard Fresson, Maurice Garrel, Annie Girardot, Laurent Terzieff et Jean-Louis Trintignant. Monté en coproduction avec la Bulgarie, le tournage avait nécessité de longs mois de préparation. J'avais dû me battre contre vents et marées pour trouver des financements, le budget du film étant très important.

Il pleut sur Santiago raconte le coup d'État de septembre 1973, fomenté par la junte militaire avec l'appui de la CIA. Le titre reprend le message diffusé à la radio pour mobiliser les militants de l'Unité populaire face à l'extrême droite. La résistance tenta de s'organiser, mais il était déjà trop tard. Une répression féroce s'abattit alors sur les militants de gauche, sur les intellectuels et sur le peuple tout entier. Le président Allende avait prévenu : « Je ne quitterai le palais de la Moneda qu'avec un pyjama de bois. » Il mourut les armes à la main le 11 septembre 1973.

Hélas, le film ne connut qu'un succès d'estime. Sans doute venait-il trop tôt : les plaies du drame chilien n'étaient pas encore refermées. C'est un peu comme si on avait fait un film sur la guerre d'Algérie en 1964... *Il pleut sur Santiago* collait trop à l'actualité pour toucher un très vaste public, du moins en France, car il fit une belle carrière à l'étranger, notamment au Japon et en Espagne.

Bientôt, la crise économique aidant, je commençai à remettre en cause mon métier de producteur. Défenseur d'un cinéma de qualité, je craignais d'être condamné à produire des sujets auxquels je n'adhérais pas, bref, de me soumettre aux impératifs du marché. Si, pour beaucoup de producteurs, le cinéma faisait figure de poule aux œufs d'or, pour moi il devenait un miroir aux alouettes.

Je suis parti quelques jours au Maroc pour réfléchir. À mon retour, j'ai décidé de mettre en sommeil mes activités et de prendre une année sabbatique. Celle-ci allait se prolonger dix ans... Dix ans à parcourir le monde, à profiter de mes enfants et de mes amis, à renouer avec mes premières amours... la peinture. Dix ans de vie pleine et heureuse.

*
* *

Nicolas a un peu plus de vingt ans et toutes ses dents. Dont une qui le fait terriblement souffrir. Je suis absent de Paris. Royale, Brigitte organise pour lui un rendez-vous chez son dentiste. On consulte, on prend radio et moulage.

Mais voilà que la mère provoque une querelle avec son fils... histoire sans doute de ne pas régler la note.

La facture du dentiste atterrit dans ma boîte aux lettres. C'est Brigitte qui me la renvoie, avec cette note grinçante : « Quand on a une dent contre sa mère, on ne se la fait pas payer à ses frais ! »

L'humour de Brigitte...

De quoi rire à s'en décrocher la mâchoire, je suppose.

*
* *

Après ma seconde séparation, j'avais résolu de trouver l'harmonie amoureuse dans une sorte de vagabondage donjuanesque.

Je savourais chacune de mes idylles dans le moment présent, en pensant qu'elle pouvait se terminer le lendemain. Un rempart contre la maladie d'amour !

Et j'ai vécu ainsi, d'aventure en aventure.

Jusqu'à ma rencontre avec Linda en 1982. Elle avait juste vingt et un ans et ressemblait à une princesse égarée, qui me rappelait étrangement l'héroïne des *Tricheurs*.

Linda a changé ma vie ! Autant les années soixante-dix m'ont vu dragueur, conquérant, volage et jouisseur impénitent, autant j'ai basculé, avec celle qui est devenue ma troisième épouse, vers une félicité équilibrante et durable. Mes amis n'arrivaient pas à le croire :

– Comment ? Tu donnes maintenant dans la monogamie !

Fort d'une vie sentimentale riche d'expériences, j'entrais dans une ère de sagesse qui me laissait à penser : à travers une seule femme, la mienne, ce sont toutes les femmes du monde que je tiens entre mes bras. Je sais désormais qu'il n'est pas de plus grande joie que de contribuer à rendre une femme heureuse et de voir grandir l'enfant qu'on lui a donné. Rien n'est plus beau que la vie qui naît de l'amour.

Chaque âge a ses plaisirs.

À quarante-six ans, j'ai fait le pari d'être l'homme d'une seule femme. Et j'ai découvert les joies subtiles d'une fidélité librement consentie. En 1995, Linda me faisait le cadeau d'une nouvelle paternité, en donnant le jour à notre petite Rosalie, deux ans aujourd'hui.

Pour moi, le secret du bonheur consiste à trouver cet état de grâce tranquille, dans lequel on est toujours prêt à emmener une femme au bout du monde. Puisqu'il n'est de beauté que dans les commencements, tâchons de faire de chaque jour une nouvelle vie. En y injectant une bonne dose d'humour.

*
* *

À partir du début des années quatre-vingt, je me consacrai exclusivement à la peinture. Durant mon séjour sabbatique, je m'étais initié aux techniques picturales les plus diverses, au contact d'artistes des quatre coins de la planète.

À vingt ans déjà, je m'étais senti appelé par la vocation de peintre. Mais il me manquait l'essentiel : l'expérience, « le nom que donnent les hommes à leurs erreurs », disait Oscar Wilde. Je me suis rendu compte qu'il ne suffisait pas d'être sincère et déterminé. Il fallait aussi accumuler un vécu et trouver le langage qui permette de communiquer ses émotions. Et cette découverte ne peut surgir qu'à la faveur de la maîtrise de la technique. « Tout le monde a du talent, et si on le cultive, tout le monde peut produire quelque chose. Mais cela suffisait-il ? Il fallait encore le feu, la passion, une nécessité obsédante », écrivait Henry Miller.

Je savais le moment venu. Je me suis lancé à corps et à cœur perdus dans ma nouvelle passion, le dessin, ossature à laquelle je donnais ensuite la chair et l'âme de la couleur du pastel.

J'aime trop les femmes et la nature pour les représenter ; mes compositions sont faites d'enchevêtrements superposés, éclatés, de formes cylindriques et géométriques sur fond de néant ; le pastel y est lissé, poli avec le doigt ou la main tout entière.

Depuis ma rencontre avec Linda, je n'ai jamais cessé de peindre. Mais je gardais mes créations par-devers moi. Mon entourage m'encourageait à les exposer. Par pudeur d'artiste sans doute, je m'abstenais. Avant d'affronter le regard du public et la plume de la critique, je devais en passer par là.

Jusqu'à l'année 1991, où une occasion s'est présentée. Le directeur d'une grande galerie du

VIIIe arrondissement à Paris m'a convaincu d'exposer mes œuvres.

J'étais partagé entre la joie et le trac. Mais n'avais-je pas pris des risques tout au long de ma vie ? Je me jetai à l'eau.

Nous étions au début de l'année 1991 et la guerre du Golfe sévissait. Inquiets des conséquences économiques du conflit, les Parisiens manifestaient une certaine frilosité, boudant les salles de spectacle et les galeries. Malgré ce pessimisme ambiant, je lançai les invitations. Une bonne étoile me suivait sans doute : une semaine avant le vernissage, la guerre s'est arrêtée... La soirée fut une réussite totale. En quelques jours toutes mes toiles ont été acquises par des collectionneurs.

En quittant le monde du spectacle, j'ai quitté le monde du bruit, de la rumeur qui étourdit et qui rend fou. Désormais, j'allais savourer le silence de mon atelier. « Moi qui fais profession de choses muettes », disait un peintre célèbre... Fraternité silencieuse, mes pensées vont souvent à tous ceux qui, dans le monde, font un travail solitaire.

Fuyant les mondanités et les rumeurs parisiennes, je vivais serein dans mon anonymat. Parfois, mon voisin philosophe, le magnifique Cioran, venait me rendre visite dans mon atelier, après une promenade au jardin du Luxembourg, toujours prêt à défaire le monde avec la dérision qu'on lui connaît. Je lui racontais des bribes de ma vie. Non pour m'en vanter, mais simplement parce qu'il me fallait répondre à sa curiosité.

– C'est étonnant, Jacques, me dit-il un jour avec son bel accent roumain. Au fond, vous avez eu des vies multiples. Vous vous rendez compte : une vie c'est déjà un enfer, alors plusieurs...

Il réfléchit, puis il se ravisa :

– Votre chance, voyez-vous, c'est d'être resté anonyme. Votre réussite, c'est d'avoir frôlé mais en fin de compte évité toutes les formes de la déchéance, y compris la notoriété.

Fin décembre 1989, je remontais la rue de l'Odéon lorsque je croisai un petit homme sautillant, ivre d'exaltation. C'était Cioran qui venait d'apprendre la fin du despotisme en Roumanie. « Ceaucescu est mort, vive la libération de notre peuple ! » criait-il à tue-tête.

Et je l'ai vu partir sur son nuage.

Bien avant notre rencontre, Cioran occupait déjà une place importante dans mon panthéon littéraire. Les aphorismes de ce philosophe dit « du désespoir » m'ont toujours, au contraire, donné le coup de fouet nécessaire pour surmonter les moments douloureux de mon existence.

Maître incontesté de l'autodérision, Cioran s'est éteint doucement en 1995. Je l'entendrai encore longtemps me susurrer : « Nous vivons tous au fond d'un enfer, dont chaque instant est un miracle. »

*
* *

Depuis le succès de ma première exposition à Paris, mes œuvres continuent de circuler, tant en France qu'à l'étranger : à Nice en 1992 avec César et Arman, galerie Ferrero ; à Genève dans le cadre d'Europ'Art et au musée de Sainte-Maxime la même année ; à Paris, galerie Carpentier en 1993 ; à San Francisco en 1994, puis au Japon, en Corée, et plus récemment à l'UNESCO, une exposition majeure.

Fasciné par l'écriture cunéiforme, j'avais en effet décidé de faire revivre un trésor archéologique quatre fois millénaire : le Code Hammurabi, du nom de l'illustre souverain de Babylone. Ses 282 articles de loi attestent d'une volonté d'équité et lèguent un véritable testament juridique à nos démocraties modernes. Regroupés par « arrêtés », ils réglementent aussi bien le mariage que le travail agricole ou le commerce, et sanctionnent sévèrement le vol, le recel, les coups et blessures, etc.

M'inspirant de la stèle du Code Hammurabi exposée dans l'aile Richelieu du Louvre, je réalisai 282 tableaux à partir de feuilles d'or, de pigments et d'encre acrylique. Cet ensemble pictural a été exposé durant un mois début 1996 au siège de l'UNESCO, à l'occasion du cinquantième anniversaire de l'Organisation internationale pour l'éducation, la science et la culture. Peintre citoyen, à travers cette exposition thématique, j'ai ressenti l'urgente nécessité de délivrer un message d'avenir à notre jeunesse en quête de repères : face à la fin des idéologies et à l'explosion de la bombe démographique mondiale, qu'adviendra-t-il de notre humanité si, pour coexister, les hommes ne respectent pas un minimum de règles de vie commune ?

Je voulais en plongeant dans la Mésopotamie, berceau de notre civilisation, retrouver l'esprit qui fait le caractère inaliénable de la Déclaration des droits de l'homme et du citoyen.

*

* *

Je me souviens de deux braves dames en robe à fleurs – on aurait dit les Vamps – que je croisais depuis des années dans mon quartier. Elles avaient pris l'habitude de me dire bonjour. Je répondais poliment à leur salut. Un matin ensoleillé où elles ne semblaient pas pressées de faire leurs courses, elles m'ont gentiment barré la route avec leur cabas :

– Dites, monsieur Charrier, on a décidé d'oser aujourd'hui... Ça fait tant d'années qu'on se dit bonjour ! Est-ce qu'on peut vous poser quelques questions ?

Je rentrais de vacances, j'étais détendu, j'avais du temps et je les trouvais délicieuses, ces deux mamies. Je les invite donc à poursuivre.

– Eh bien voilà... Pourquoi ne faites-vous plus de cinéma ?

– Mais mesdames, je n'ai jamais fait de cinéma ! répondis-je, amusé.

– Vous n'êtes pas M. Charrier, l'acteur ?

– Vous devez confondre avec mon papa, continuai-je sur ma lancée.

– Mais vous avez bien été marié avec Brigitte Bardot ?

– Ah non ! Brigitte, c'est ma maman !

Et j'ai laissé les deux mamies sur le trottoir un peu interloquées. Depuis, chaque fois que je les croise, elles me saluent d'un affectueux « Bonjour, Nicolas »... Rien de tel qu'une boutade de Dijon, puérile, pour vous rajeunir son homme !

*
* *

Voilà donc ma vie « après Bardot ». Une vie dont le bonheur est la grande affaire. Dans ma peinture bien sûr, puisque, comme disait Stendhal, « le beau n'est que la promesse du bonheur ». Mais surtout dans ma relation avec Linda. Depuis 1982, je partage l'existence avec la femme de ma vie et depuis que Rosalie est née, en 1995, je sais que d'immenses joies au quotidien se préparent pour mes vieux jours.

Lorsque ma fille dort, j'entre sur la pointe des pieds. Je me penche : elle ressemble à un ange. J'attends alors qu'elle se réveille. Il faut que je l'entende rire et gazouiller. En sachant qu'un jour, elle s'envolera du nid.

Ma fille me donne le sentiment que je suis immortel, sans doute parce qu'elle rayonne comme un soleil. Nicolas, Marie et Sophie ont déjà quitté le cocon familial. Très proches les uns des autres, ils forment avec ma petite dernière une fratrie solide et bienheureuse à laquelle ils ne manquent pas de m'associer, pour mon plus grand bonheur.

Brigitte, elle, vieillit dans son arche de Noé, en attendant le déluge apocalyptique qui la sauvera de l'humanité. Mais les animaux n'ont-ils pas droit au bonheur, eux aussi ? Qui sait, j'irai peut-être un jour les tirer des griffes d'une maîtresse abusive...

TABLE DES MATIÈRES

Chapitre 1
Trente-sept ans de silence 9

Chapitre 2
Un Carthaginois à Paris 29

Chapitre 3
« Parlez-moi d'amour » 85

Chapitre 4
La femme-enfant 131

Chapitre 5
L'enfant de l'amour 151

Chapitre 6
Une grossesse mouvementée 175

Chapitre 7
Qu'est-ce qu'on attend
pour être heureux ? 223

Chapitre 8
Un homme libéré 265

Chapitre 9
Un nouvel envol 305

Directrice littéraire
Huguette MAURE

Graphiste
Pascal VANDEPUTTE

Attachées de presse
Nathalie LADURANTIE
Myriam SAÏD-ERRAHMANI
Sophie HOURDEQUIN

Les photographies du hors-texte couleur représentant les œuvres de Jacques Charrier ont été réalisées par Frédéric Proust.

Cet ouvrage, composé par
Paris PhotoComposition
36, avenue des Ternes, 75017 Paris

Impression réalisée sur CAMERON par
BRODARD ET TAUPIN
La Flèche

pour le compte des Éditions Michel Lafon
en juin 1997